La vida a plazos de don Jacobo Lerner

Isaac Goldemberg

La vida a plazos de don Jacobo Lerner

Segunda edición en español, 1980
Ediciones del Norte

Portada, Bill Caro

Edición en inglés, 1976, Persea Books Inc., Nueva York
Primera edición en español, Libre 1, 1978
SEGUNDA EDICION, CON DERECHOS EXCLUSIVOS
EN ESPAÑOL, EDICIONES DEL NORTE, 1980
P.O. Box A130
Hanover, N.H.
U.S.A.

A José Kozer y Jomi García Ascot

I

La noche antes de morirse, Jacobo Lerner pensó que su muerte originaría leves catástrofes. Se imaginó a su cuñada consumida con el pasar del tiempo por penas de amor. A su hermano Moisés en bancarrota, abandonado por su hijo, solicitando ayuda de amigos que para entonces ya no existirían. A su querida, doña Juana Paredes Ulloa, vilipendiada por propios y extraños por no haber sabido sacar mejor provecho de sus relaciones amorosas. A la hermana de su cuñada, Miriam Abromowitz, sumamente arrepentida de no haber contraído nupcias con el pobre difunto. A su hijo Efraín con la desagradable tarea de conocer a su padre por bocas ajenas. A la madre de Efraín, que seguía viviendo en el pueblo donde la conoció, víctima de los improperios de su padre por no haberse casado con el judío cuando aún era posible.

Pensó también, casi melancólicamente, que ni siquiera su testamento impediría el cumplimiento de dichos sucesos.

A Moisés le legaba una *yarmulka* deshilachada de tiempos de su niñez en Staraya Ushitza. A doña Juana

Paredes la cama estilo Luis XVI (con la colcha rosada que ella misma se había encargado de tejer), donde desde hacía cinco años venían retozando adolescentemente tres veces a la semana, despreocupados de las malas lenguas del vecindario. A Miriam una invitación con letras góticas y filigranas de oro para la boda que nunca llegó a realizarse. A Efraín una pequeña fortuna amasada tras catorce años de privaciones y trabajo, para cuando cumpliera su mayoría de edad. A su cuñada las obras completas de Heine, en alemán, con una dedicatoria en *idish*, escrita hacía tres años cuando se le ocurrió regalarle el libro con ocasión de su onomástico.

Recordó también que la última vez que vio a su viejo amigo León Mitrani fue en 1925, el día de su partida a Lima, nueve años antes de que Mitrani muriera intoxicado a causa de un error cometido por el boticario del pueblo, quien en vez de venderle los cincuenta miligramos de bicarbonato de soda recetados por el doctor Meneses para el cólico que lo aquejaba, le despachó la misma cantidad de desmanche para el lavado de la ropa. Creyó verlo en la sombría tienda de abarrotes, sentado plácidamente detrás del mostrador, en la misma mecedora de caoba donde había pasado los últimos años de su vida, entre destartalados estantes a medio llenar y telarañas entrecruzadas de pared a pared formando una complicada estructura de tetraedros imperfectos. Por mediación de Samuel Edelman, supo años más tarde que Mitrani expiró en las primeras horas de la madrugada entre estertores y evocaciones de su infancia en Staraya Ushitza, invocando el nombre de Jacobo Lerner.

"Si te vienes a Chepén, podrás hacerte rico en poco

tiempo", le había asegurado Mitrani en una de sus cartas. Y Jacobo lo encontró prematuramente envejecido, arrastrando una cojera que databa del verano de 1922, producida por la violenta patada que le diera el mulo de Serafín, el aguatero del pueblo.

Cuando Jacobo Lerner se presentó en Chepén en pleno invierno, tres años después de la llegada de Mitrani, con una maleta atestada de cachivaches sobre el hombro, se dio cuenta de lo mucho que había cambiado su amigo desde la última vez que se vieron a bordo del *SS Bremen* en Hamburgo. Además de la cojera, que a Jacobo le resultó intimidante por pertenecerle a un hombre de la misma edad que la suya, a León Mitrani se le había llenado la cabeza de pensamientos onerosos. Una tarde, sentados en el cafetín del japonés, Mitrani le confió que no tardaría en desatarse un violento pogrom en la zona norte del país. Declaró que Samuel Edelman, un agente viajero que venía al pueblo seis veces por año a abastecerlo de mercancías y a mantenerlo informado sobre las noticias nacionales y extranjeras que no llegaban a Chepén, le había referido cómo en Trujillo, ciudad situada a unos cien kilómetros de distancia, el ejército venía preparándose desde hacía varios meses para dar una batida contra todos los judíos radicados entre Chimbote y Tumbes. Ya el gobierno había hecho desaparecer a la comunidad judía de Lima y había decretado liquidar sin pérdida de tiempo a aquellos judíos establecidos en las provincias.

Eso era, según Mitrani, lo comunicado por Edelman, quien iba huyendo hacia la selva donde estaba seguro de que no darían con su paradero. Lo cierto es que si Jacobo Lerner no hubiese logrado despejarle esos espejismos de la mente, es probable que en su programada huida a Iquitos, de cuya situación geográfica había llegado a enterarse por conducto de Edelman, Mitrani hubiese desamparado impúnemente a la mujer con quien se había amancebado al mes de llegar al pueblo. Sin embargo, Mitrani jamás logró deshacerse del nefasto temor de que en un futuro no muy lejano se produjera un pogrom en Chepén, porque todavía mantenía vivo el recuerdo de un tío suyo asesinado en 1911 por los soldados del zar. Ni siquiera unas semanas más tarde, cuando Samuel Edelman se apeó del ómnibus que lo traía al pueblo en uno de sus acostumbrados viajes, Mitrani pudo convencerse de que la aflicción que lo había postrado en cama durante tres días consecutivos, era producto exclusivo de su imaginación. "De todos modos no hubiera sido capaz de abandonar a una ciega", comentaba Mitrani cada vez que se acordaba del incidente.

SOBRE LOS JUDIOS EN EL PERU

(Especial para *Alma Hebrea)*

Ultimamente vimos una guía comercial e industrial de Loreto, editada en el año de 1916, y quedamos asombrados de ver la enorme cantidad de establecimientos judíos que existen en Iquitos.

En la guía aludida, encontramos un artículo que se titula "El río Amazonas fue navegado por Hebreos y Fenicios", y que empieza así:

"Onfroy de Toron, en su obra intitulada *Antigüedad de la navegación del Océano, viajes de los navíos de Salomón al Amazonas: Ophir-Tarshish*, prueba que los hebreos y fenicios navegaron el Amazonas y que de ellos recibió el nombre de Río Salomón, en recuerdo del gran Rey".

MAURICIO GLEIZER

Iquitos, enero de 1923

EL JUDIO ERRANTE

(Especial para *Alma Hebrea)*

Quienes han visto al Judío Errante en sus paseos nocturnos, afirman que es un hombre de más de cien años y siete pies de estatura; viste levitón negro, usa poncho y porta báculo, a cuyo extremo mantiene un farolillo de eterna llama. El detalle que más impresiona es, sin duda, sus ojotas de fierro, cuyo ruido es espantoso. Su presencia es augurio de epidemias o sequías.

De un cronista anónimo, citamos el siguiente suceso, presenciado a principios de siglo por los habitantes de Huancavelica:

"Un buen día, el pueblo oscureció. Una aurora boreal asombrosa lo iluminó luego, y a sus fulgores, el pueblo atemorizado vio cómo se elevaban en el aire las chozas; las gallinas, patos y carneros eran lanzados como simples plumas. La tierra se estremecía, y ante fenómenos tan raros, a eso de las siete de la noche, contemplaron al Judío Errante que se elevaba sobre una bola de fuego, para desaparecer tras un cerro".

FRAY FERNANDO,
lego del Convento de La Merced

Crónicas: 1923

El presidente Augusto B. Leguía pretende consagrar la República al Corazón de Jesús. Cede bajo la presión de estudiantes y obreros, conducidos por el joven líder Víctor Raúl Haya de la Torre.

Reb Teodoro Schneider, sabio del Talmud y célebre conjurador cabalístico, es nombrado rabino de la comunidad judía de Lima. Es elegido presidente de la Unión Israelita el señor Alfredo Kauffman, propietario de la mueblería "La Confianza". Don Simón Rapaport queda a cargo de la administración de la sinagoga de Breña. El señor Eliezer Grinberg, casado con la hermana del recientemente fallecido rabino Weinstein, es designado curador del cementerio israelita de Bellavista.

En ceremonia doble, contraen matrimonio los señores Moisés Lerner y Daniel Abromowitz con las hermanas Brener, Sara y Miriam, respectivamente. Los novios son agasajados por sus numerosos amigos en los salones de la Unión Israelita. Después de la ceremonia, parten en luna de miel al balneario de Ancón, donde las felices parejas pasan siete encantadores días a la orilla del mar.

En el Hotel Central de Guadalupe, situado a mano derecha de la Plaza de Armas, Samuel Edelman, tendido de espaldas sobre la cama, lee la carta que un renombrado intelectual peruano ha enviado al director de la revista "Alma Hebrea". El texto de la carta es como sigue:

Lima, 22 de mayo de 1923

Señor Director de la revista "Alma Hebrea"
Mi muy distinguido amigo:

Hacía unos días leía con inmenso placer el número 3 de su revista y encontreme con una carta referente a la labor emprendida por ustedes los judíos en nuestra patria. Aunque ya los hombres de su raza han contribuido grandemente al progreso de la nación, me permito comentar que el judaísmo en el Perú podría emprender una obra más de vital importancia. Campo experimental interesante sería la mezcla de esta raza inquieta (la suya) con nuestro indio, la cual daría, por cierto, el tipo ideal del hombre del Ande, porque entonces veríamos hermanadas la resistencia física, la reciedumbre andina, a la agilidad mental judía y a su dinamismo. De aquí surgiría, pienso yo, el hombre nuevo; es decir, el tipo peruano, inconfundible, peculiar, propio.

Creo, firmemente, que todos los judíos deben dejar ya el Viejo Mundo: América es su campo de acción. América es la Tierra de Promisión. En América deben buscar ustedes los rezagos de la leyenda que dejaron diseminados aquellos otros que los precedieron en tiempos de la Colonia.

Sin más, quedo de Ud. su atento y S. S.

DR. JOSÉ EUGENIO MIRANDA

Cuando termina de leer la carta, Edelman se sonríe complacido y piensa que el Dr. Miranda es un hombre de innegables dotes intelectuales.

De Europa han llegado los siguientes viajeros: Sra. Golda de Bernstein, Sr. Manuel Gosovsky, Srta. Pola Fishman, Sr. Elías Pritzky.

Salieron para Huancayo los señores Miguel y Marcos Rothberg; para Huacho, la Sra. Ana Metz; para Panamá, don Jorge Kaplivsky; para Chepén, don Jacobo Lerner; para Chimbote, la Sra. Sara Gutin.

II

Efráin: Chepén, 1932

¿Por qué será que el abuelo se da esos lujos y a nosotros nos tiene muertos de hambre? Yo quisiera comerme ese bisté con arroz y huevos fritos, que ni los guisos ni las menestras me gustan, pero a veces la Virginia me lleva a la fonda de doña Chepa y entonces sí que me harto de comer un montón de platos deliciosos que en esta casa ni siquiera los probamos durante los días de Pascua, porque dice la abuela que no hay plata y tamaño bisté que se manda el abuelo todos los días y a nosotros que se nos cae la baba, a mí, a la Tere, al Ricardo, que dice el doctor Meneses que le hacen falta vitaminas o lo dijo por mí que no me acuerdo . . . pero el abuelo que no le vengan con ésas porque la verdad a mí no me gusta el vino pero me compraría una Pasteurina para el almuerzo y otra para la comida, porque entonces tendría dos chapas al día y catorce a la semana y sesenta al mes y no habría en el colegio nadie con más chapas que yo y hasta le regalaría unas cuantas al Ricardo si me da la gana, pero no se las voy a dar si me sigue molestando, como ayer que me escondió el libro de lecturas y doña Angelita me regañó delante de todos porque no me sabía la lección . . . pero entonces a la Virginia se la acaba la plata y vuelta a comer garbanzos con arroz y ni siquiera una pizca de mantequilla para el desayuno que es como me gusta el pan, que con azúcar no me lo como y me tomo el chocolate no muy caliente porque si me quemo la lengua me quedo mudo y dice la abuela que la Virginia se gasta el dinero en porquerías y fuera mejor que se lo diera a ella para comprar unas gallinas y así comeríamos huevos fritos, pasados, duros, todas las mañanas.

El abuelo un día se nos muere y nos deja su caja de caudales y lo enterramos envuelto en su frazada, porque la única que me quiere es la tía Francisca, a pesar de ser muy regañona y hacerme leer el catecismo todas las noches antes de acostarme. Se le encienden los ojos como unas lamparitas y le tiembla la barbilla cuando me dice que sólo las almas buenas van al cielo y si me muero que me entierren en una caja de zapatos con mis chapas de botellas, y que Dios no protege a los niños palomillas que no rezan sus oraciones por la noche ni van a la iglesia los domingos para que el padre Chirinos los bendiga.

La tía Francisca debe ser la única santa en la familia porque mis otras tías son unas perdidas que ya no van a misa y hace años que ya ni se confiesan. Mi tía Irma se escapó el año pasado con un sargento de la Guardia Republicana, que le sonaban las espuelas cuando venía a visitarla los domingos y dice la abuela que viven amancebados en Pacasmayo y que se van a quemar en el infierno. Beatriz y Lucinda son menores que la Virginia y se desaparecen todo el día y por la noche vuelven a casa todas borrachas, con el pelo revolcado y el vestido que parece papel celofán apachurrado. La Lucinda es la más bonita de todas mis tías porque el año pasado fue la reina del carnaval y tiene amores con el boticario, lo lindo que le quedaba el moño que parecía una española, y el abuelo feliz de la vida porque el boticario tiene plata y dice que es un tipo serio y cuando pasó la carroza real se llenaron las veredas de flores blancas y rojas y también de serpentinas que la gente arrojaba desde los balcones, y le anda preguntando a la Lucinda que cuándo se casa y que se ande con cuidado, que no vaya a ser como la Virginia que se dejó engañar y tenía un vestido rosa acampanado y una corona de perlas brillantes que parecía una princesa como las que aparecen en los cuentos de hadas que me cuenta la Tere.

A la tía Francisca le da la pataleta cada vez que ve salir a Beatriz y Lucinda todas pintarrajeadas "como si fueran unas putas", porque están manchando el nombre de los Wilson que era reconocido y admirado por todo el mundo cuando vivían en Cajamarca en las casa de su padre, pero que ahora está peor que palo de gallinero. Yo no sé si soy de los Wilson o de los Alvarado, porque el abuelo "llegaron a estas tierras en el siglo pasado, industriosos, gente decente, respetables", y la abuela "nada tenemos que envidiarles a esos ingleses patilargos y desabridos".

Cuando le pregunto a la tía Francisca si mi padre es el abuelo o el tío Pedro, que no quisiera que fuese porque parece un alfeñique, ella me contesta que yo ya no tengo padre, que se murió hace siete años antes de que yo naciera.

No lo recuerda bien, dice, pero parece que se le quemó la tienda que tenía y se murió abrasado por las llamas igual que en el infierno. Pero yo no me voy a morir como mi padre, porque yo soy un chico bueno que va a misa todos los domingos y me confieso y colecciono estampas de santos.

El padre Chirinos me prometió darme una estampa de nuestro patrono San Sebastián que se murió acribillado por las flechas de unos bárbaros que adoraban a un Dios que no era el nuestro, porque Jesucristo es el único Dios verdadero y yo tengo que creer en El porque si no me muero y me condeno sin remedio, como el hijo de la Matilde que nació con dos cabezas y entonces no dejaron que lo enterraran en el camposanto, y dicen que se lo llevaron a enterrar a otro pueblo en una caja de cartón con sus chapas de botellas . . .

Cuando consiga la estampa de San Sebastián, que está a colores y es la más grande de todas, ya voy a tener cincuentidós y la voy a poner en la cabecera de mi cama, pero me tengo que esperar porque el padre Chirinos no la regala así nomás, sin que uno se la gane por buen comportamiento, ni sin antes aprenderse de memoria todas las oraciones, que para mí son un martirio porque a veces tengo la cabeza en otra parte, como cuando tengo que rezar el Padre Nuestro que estás en los cielos, porque entonces pienso en mi padre que no está en el cielo sino en el infierno quemándose despacito, porque dice la abuela que era un hereje hijo de puta que trajo la perdición a nuestra casa, santificado sea Tu nombre, donde me llaman Efraín, pero en la calle y en la escuela me dicen jacobito, y la maestra nada más me conoce como el nieto de don Efraín Wilson o el hijo de la Virginia que dio hace algunos años un mal paso y se creyó una sarta de mentiras, y estuvo sin salir de la casa unos dos años y hasta se quiso matar como una tonta, una noche que se metió en lo más hondo del río sin saber nadar y la sacaron del agua media ahogada, gritando palabrotas y que la dejaran morirse porque se le caía la cara de vergüenza y jamás volvería a poner un pie en la calle, que cómo iba a soportar que todo el mundo supiera su desgracia, vénganos el Tu reino, hágase Tu voluntad así en la tierra como en el cielo.

Y esa noche el abuelo hecho un atado de nervios, maldiciendo la suerte del judío, a la madre que lo parió y a todos sus antepasados, el pan nuestro de cada día dánoslo hoy. Y la abuela convertida en una furia, echándole la culpa al abuelo, viejo de mierda, que dónde carajo andaba metido cuando se estaban tirando a la hija, y ella también echándose la culpa encima por haberse cruzado de brazos, tan celestina como el viejo, a sabiendas que nada provechoso iba a resultar de esas visitas domingueras, y ya se lo había advertido la Francisca que la Virginia iba por muy mal camino, que qué clase de ejemplo era ése para sus hijas que ya estaban creciditas, con el demonio en el cuerpo haciéndoles cosquillas y calentándoles las vísceras, perdona nuestras deudas así como nosotros perdonamos a nuestros deudores.

Y la Virginia hablando sola por las noches, robándome el sueño, lloriqueando como la Tere cuando se le perdió su muñequita china. Y la rabia que me da oírla hablar de su desgracia porque después tengo pesadillas con una bruja nariguda con pelos en la cara y ojos de culebra que me fríe en un perol de aceite hirviendo, y mis gritos rebotando contra las paredes de la casa como una pelota desinflada, sin que me escuche la Virginia, que siempre está metida en sus cosas, encerrada en su mundo que no entiendo, a veces lleno de momentos apacibles, de historias de la Biblia donde todo es muy bonito, de paseos en bicicleta por la orilla del río, de eucaliptos, higueras y algarrobos, de nubes blancas y cielos muy azules como el manto que tiene la virgen de la iglesia y no nos dejes caer en la tentación mas líbranos del mal.

Pero otras veces la Virginia empieza a maldecir a medio mundo y a mirarme fijamente, los ojos llenos de un líquido rojizo, y me entran calofríos por todo el cuerpo y entonces sí que ni ganas de dormir que tengo porque ya sé que voy a soñar que me cortan la cabeza y que el padre Chirinos me tira al río para que me coman los cangrejos, que dice la tía Francisca que son igualitos a los diablos con sus cachos de acero y unos dientes muy blancos y filudos para llegar derechitos al corazón.

Entonces no llamo a la Virginia, porque sé que nunca viene a mi lado y trato de agarrarme a una roca para salvarme, pero la roca está cubierta de un moho espeso y me resbalo y me sigue arrastrando la corriente, y la roca se va quedando atrás como una cara gigantesca que se ríe de mí a carcajadas pero que no reconozco, porque tiene como una máscara de pintura que se ponen los payasos que vienen con el circo al pueblo, y todo está terriblemente oscuro para que me vaya cayendo más hondo en el pozo, que está repleto de judíos, que también son parecidos a los diablos, con unas colas puntiagudas para aguijonear a Jesucristo, que dice el padre Chirinos que es el Salvador del mundo, Hijo de Dios y Padre de todos los cristianos, y a quien puedo ir a verlo cuando quiera porque tiene las manos y los pies clavados en la cruz y entonces no puede salirse de la iglesia, que dice el padre Chirinos que también es nuestra casa y tú, Virginia, nunca vienes conmigo los domingos a ver a nuestro padre, porque dice la tía Francisca que tienes al demonio metido en el cuerpo y que te va a devorar poquito a poco hasta que no quede de ti más que una sombra y ya no existas . . .

Entonces me tengo que ir a misa solo, y cuando te conté que el padre Chirinos me había hecho monaguillo, te pusiste a reír como una loca, que eso era lo único que faltaba, que te gustaría verle la cara al judío, que a ver qué le parecía su hijo convertido en monaguillo. Y yo sin saber de quién hablabas, sin saber si te referías al diablo o al señor Mitrani que es el único judío que conozco, porque ese viejo cojo no puede ser mi padre, porque eso sería morirse del espanto, y además la tía Francisca dice que ni siquiera debo hablarle porque el señor Mitrani hace pastelitos de carne con los niños que entran en su tienda y después se los come con unas gotitas de limón.

Pero lo mejor es que no piense en esas cosas, porque me empiezan los mareos y me pongo tembloroso y ya sé que no podré pegar un ojo en toda la noche y ojalá que Ricardo se desvele para preguntarle si conoce otro judío fuera de Mitrani en el pueblo, porque Mitrani no es más que un viejo loco, que se la pasa los domingos predicando en la plazuela, enfrente de la iglesia, anunciando que se viene el fin del mundo, que el río inundará las casas, que moriremos todos ahogados, que la cólera de Dios caerá sobre nuestras cabezas como una espada, que en este pueblo no se salva nadie porque todos estamos condenados, pero si llega el fin del mundo entonces a lo mejor veo a mi padre . . .

Y el padre Chirinos se muere de la rabia, porque hay más gente en la plaza escuchando las locuras de Mitrani que en la iglesia, que es donde a mí me gusta estar, rodeado de esos santos silenciosos y sonrientes, y esos querubines rosaditos como las muñecas de goma de la Tere, que lo están vigilando a uno cuidadosamente y entonces no nos podemos meter el dedo en la nariz ni rascarnos las nalgas cuando empieza a picarnos la madera de las bancas, ni pellizcarles las piernas a las hijas de don Polo Miranda, que son unas petimetres y unas creídas de mierda nomás porque el padre tiene mucha plata y es el propietario del ingenio Santa Fe.

Entonces el padre Chirinos comienza la misa y qué gusto que da arrodillarse, alzar los ojos y mirar a Jesucristo que se parece un poco al señor Mitrani, la misma nariz y esas pestañas largas y onduladas, pero que no puede ser verdad porque el viejo Mitrani es un hereje como lo fue mi padre, y a la virgen que nos protege de todo mal y de las palabras de Mitrani que sigue dando vozarrones fuera de la iglesia, y yo no tengo padre en esta tierra porque mi único padre es Jesucristo, que está en el cielo con la Sagrada Familia, entre nubes de algodón y su túnica muy blanca que le llega a los tobillos, no como la mía que es más bien casa de putas y alcahuetes, menos la tía Francisca que es una verdadera santa.

La Virginia me dijo otra vez que no la esperara por la noche, porque se fue a visitar a la Irma que vive en Pacasmayo y no vuelve hasta mañana, y entonces la tía Francisca me va a llevar a dormir a su casa, donde tiene unos rosales que los pone en un florero en la repisa de su cuarto y hay como un aroma que adormece y me penetra hasta el fondo del cerebro y me hace pensar en cementerios, como cuando se murió la mamá del boticario y la Lucinda me llevó para acompañarla y le dejó unas flores rojas sobre la tumba, en su cama que tiene los soportes rotos y el colchón lleno de chinches que le caminan a uno por el cuerpo, y la tía Francisca tendrá que despertarme a medianoche muerto del susto como otras veces para lavarme el dedo que lo tengo todo pegajoso, hecho un asco, con agua fría en una palangana, y la tía Francisca que ya estoy grandecito, que tengo que dejarme de esas mañas que son de hombres cochinos y no de niños buenos como yo.

Pero cuando duermo con la Tere ella no se queja nada y se me arrima al cuerpo para abrigarse entre mis brazos y yo siento cómo me pasa la mano por las piernas, y al día siguiente la Tere ni me mira porque parece que le da como vergüenza. Pero ya veo que no voy a poder hablar con Ricardo hasta mañana en el colegio, que no sé si voy a ir porque no he hecho mis deberes y doña Angelita dijo que nos iba a hacer preguntas sobre la fundación del Imperio de los Incas, una historia donde un señor llamado Manco Kapac, que es el padre de todos los peruanos, sale con su mujer del lago Titicaca y hasta ahí nomás me acuerdo aunque creo que tiene algo que ver con el dios sol y una varilla de oro que se clavó solita en un cerro como por arte de magia, pero no salió agua ni nada, porque no he repasado el libro de lecturas, que tiene unas ilustraciones de todos los colores, con hombres barbudos montados a caballo, que dicen que son los héroes de la patria, y la bandera rojiblanca con su escudo que tiene una corona de laurel, con una llama en fondo azul, un arbolito bien verde y una cornucopia en fondo rojo, de donde salen un montón de monedas bien brillantes como si fueran de oro, pero lo voy a leer mañana por la tarde en vez de irme a pescar al río con Ricardo, y ya me empiezan de nuevo los mareos, pero mejor no digo nada porque eso es hacerle mala sangre al abuelo, como anoche, durante la cena, cuando se lo pregunté de nuevo y la Virginia me salió con lo de siempre: "Tú eres hijo de la roca". Y la abuela: "¡Tamaña piedra la que te ha tocado! ¡Lo mejor es que se vaya a vivir con el judío!". Y la tía Francisca: "¡Cállense la boca, que de todo este enredo el único inocente es este niño!". Y el abuelo: "Lo importante es que el judío te siga mandando plata todos los meses, que yo ya tengo bastante con mantener a los míos".

Crónicas: 1924

Don Augusto B. Leguía es reelegido Presidente de la República. Se renuevan las conspiraciones: las prisiones y deportaciones se multiplican.

Se lleva a cabo la velada de teatro organizada por el Círculo Cultural de Jóvenes Israelitas, en el salón de la Unión: Se presenta la comedia en un acto "Oilam Habo", de Sholem Aleijem, con la actuación de los señores Shapiro, Metz y Kaplan de protagonistas. Todos se desempeñan correctamente en sus papeles. Sobresale el señor Metz en el papel de madre, evidenciando una notoria vocación artística. Después de la función se improvisa un ameno baile, que dura hasta altas horas de la noche.

El 25 de julio por la tarde, don Efraín Wilson Rebolledo se aparece en la tienda de don Jacobo Lerner. Como de costumbre, don Efraín se queda maravillado al ver el excelente surtido de telas que exhiben los estantes. Tiene la sensación de hallarse en un bazar árabe: le parece oír un enjambre de voces regateando el precio de los artículos; respira hondo y cree percibir un aromático y sensual olor a especias, aceites y aceitunas. Después de marcharse el último cliente, don Efraín se acerca sonriente al mostrador, saluda a Jacobo con enérgico apretón de manos y, luego de intercambiar con él sus habituales cortesías, lo invita a cenar esa noche en su casa.

Pese a las advertencias que le hace León Mitrani, Jacobo Lerner abandona el hotel a las 8 y 30 de la noche, vestido con terno y corbata. En ese momento, sin poder contener su excitación, Virginia Wilson se prueba frente al espejo su vestido nuevo de percala.

Movimiento de la Biblioteca Israelita correspondiente al mes de julio. Lectores: 51; libros leídos en *idish:* 16; en hebreo: 4; en castellano: 6. Total: 26.

Se celebra en el hogar de los esposos Lerner, sito en la Avenida Alfonso Ugarte, Nº 1274, la hebraización del niñito Yosef Lerner, a cargo del rabino Schneider. Concurren a la ceremonia un gran número de amigos, que quedan francamente impresionados con la pericia del nuevo rabino.

ALMA HEBREA: No. 9 — Septiembre, 1924 16

SALA SAN MARTIN

(1 a. cuadra del Jirón de la Unión)

13 de OCTUBRE de 1924 — A las 9 P.M.

Con motivo de la tradicional fiesta de

SIMJAT—TORA

La aplaudida obra de J. SEGAL

DI FARGHESENE MAME

("La madre olvidada")

En 3 actos con muchos números de canto

DIRECCION ARTISTICA DE:
Rubén Avigdor

ACTUACION DE: Marcos Kaplan,
Clara Shapiro, Julio Feldman y Miriam
Abromowitz

PRECIOS POPULARES

El Círculo Cultural de Jóvenes Israelitas

ALMA HEBREA: No. 9 — Septiembre, 1924 17

SOBRE LOS JUDIOS EN EL PERU

(Especial para *Alma Hebrea)*

En el Perú no hay el problema del antisemitismo; es decir, del odio al judío. Ese espíritu "jingoísta", de celo nacional o de orgullo racial o cultural es aplicado aquí contra el asiático y muchas veces, inclusive contra el propio indígena de nuestras serranías. Símbolo triste de cómo el hombre, con diversos pretextos, trata de olvidar constantemente el "Amaos los unos a los otros".

DR. MANUEL PAZ SOLDÁN

ALMA HEBREA: No. 9 — Septiembre, 1924 18

FIGURAS DE LA COLECTIVIDAD

SAMUEL EDELMAN

"Mi amor a la colectividad lo llevo en la sangre", nos dijo en una conversación don Samuel Edelman. Y evidentemente es así: don Samuel Edelman es un verdadero "jalutz" (pionero) de nuestra Colonia, quien allá por los años 1920-23 se preocupó de ver en Lima una comunidad judía con instituciones fuertes.

Podemos afirmar, sin temor a equivocarnos, que es en gran parte, gracias a la tesonera labor de don Samuel, que tenemos hoy en día la Sociedad Unión Israelita. Dios quiera que don Samuel vuelva a radicarse en Lima y reanude entre nosotros su labor de bien. Parodiando una frase del gran Unamuno, al referirse al genial Baruj Spinoza, de quien dice que "así como a uno le duele un miembro del cuerpo, una mano o una muela y siente dolor físico, así le dolía a Spinoza su Dios"; así también podríamos decir de Edelman que a él le duele la Unión Israelita.

La Redacción

III

Samuel Edelman: Chiclayo, Noviembre, 1935

Todo tiene su hora y su lugar dice el Talmud . . . entonces Jacobo no lo salva nadie, un año sin noticias, porque ¿para qué ir a verlo? La pena no vale, él con su vida, yo con la mía . . . Dios gracias su carta recibí en Chiclayo, loco mandarla a tienda de León después lo que pasó, si no, no me haya enterado su última voluntad, porque debe haber perdido razón, perfecto disparate pedirme ahora lleve hijo a Lima.

"No vayas, Samuel", díjome la Felisa, y yo en mi adentro no pidas eso, Jacobo, no seas loco, Jacobo, deja todo siga su curso, demasiado tarde es, Jacobo . . . mejor dedicar su tiempo para purificar su alma, como buen judío prepararse para recibir muerte.

La Felisa se muere miedo y seguro no va dejarme salir mañana, porque mira, Samuel, lo que hicieron León en ese pueblo, y yo dígole León murió de enfermedad, verdad es no lo querían, pero yo voy y no me pasa nada, mujer; es mi deber, díjele Felisa, como judío es mi deber, no comprende la Felisa por más le explico, no comprende la Felisa . . .

Jacobo desperdició mejores años de su vida siguiendo pasos de su hermano, era obstinado conseguir amor de todo mundo, de la Sara también, pero ella qué iba fijarse Jacobo si no era nadie, por eso Jacobo era obstinado obtener amor de todos, dando dinero diestra y siniestra, porque no es mal ayudar Moisés ni socorrer viuda de Marquitos, pero prestar dinero gente que no se lo devuelven, eso es un locura. Un cosa es caridad y otro despilfarro dice el Talmud . . .

Y tarde no es tampoco poner su vida en orden, nadie diga a hora de morir demasiado ocupado soy con las obligaciones de mi casa, mañana empiezo ocuparme mi alma, anterior es espíritu a cuerpo, eso le diría yo si podría ir verlo, pero primero a Chepén, aunque la Felisa "por Dios, Samuel, no vayas", y díjele entonces, pero si no me acuerdan, mujer, que no he estado en ese infierno desde murió León, y ¿qué voy hacer yo trayéndole hijo?, y dije la Felisa por amistad con Jacobo lo hago, ya bastante ha sufrido, mujer, que otra forma no entraría a Chepén ni pagado con todo dinero del mundo, que la Felisa díceme mataron León, Samuel, ¿no das cuenta?

Así me resultó muy bueno no radicar en Lima, aunque la Felisa vámonos, Samuel, para que vivas con tuyos, ¿qué tuyos, mujer?, si yo jamás busqué cosas que seducían Jacobo. ¿Casarse con judía? Bueno, pero ¿y si no encuentra? ¿Cuánto tiempo esperar? ¿Cuánto tiempo vivir solo?

Sara habría hecho mi esposa con ojos cerrados, pero ¿proponer matrimonio Miriam? ¡Loco hay ser! Porque no me sorprendería nada si ella causó suicidio de Daniel. ¡Vergüenza! ¡Vergüenza para toda Colonia fue!

Dios gracias Jacobo canceló boda, que Miriam iba detrás su dinero solamente, iba detrás mío también, se habría casado conmigo enseguida si yo habría dicho Miriam, ¿quieres ser mi esposa? pero loco habría ser, mejor casado con cristiana que con judía mala; mejor casado con cristiana se lo dije Jacobo, pero no oía nunca, ni ahora que es muriendo el pobre.

Ir sinagoga es muy bien cuando uno cree en esas cosas, pero señoras van sólo lucir joyas y maridos hablar negocios, la Felisa dejo vaya a iglesia y rece sus santos todo le da la gana, pero no en frente niños, que quiero sean judíos, otra forma da mismo vivir aquí que en Lima, porque Lima ambiente judío no tiene nada.

Dije la Felisa no es ambiente judío ir cinco o seis veces Unión Israelita bailar tangos, foxtrots o rumbas, así se va allí como se iría un dancing cualquiera, pero la Felisa ¿no extrañas los tuyos, Samuel?

Jacobo, fue error irte de Chepén, díjele mil veces; yo siempre traía noticias de su hijo, pero no es mismo tenerlo su lado cuidarlo y ver crecer fuerte y sano, como tiene ser, porque ¿para qué voy?, no sé, mejor olvidarse Efraín, Jacobo; muchacho extraño es, Jacobo; raras cosas en cabeza, Jacobo; muchacho no es bien . . . nunca le conté tenía familia en Chiclayo con la Felisa y mis hijos, que él no tiene nadie, muerto es León y Jacobo muriendo solo.

Hace cuatro años fui Chepén reconocerle hijo, me pesa ahora, en alma me pesa no traje el hijo y después tampoco vi Jacobo todo un año; última vez lo vi parecía espectro sí mismo, encogido era como hongos mohosos y arrugados crecían junto río de mi pueblo; olor muerto tenía encima, toda la noche le velé sueño, fui darle noticia muerte de León, Jacobo no quería salir calle, siempre andando como duende por cuartos de la casa, todas tardes se subía en azotea y sentaba allí cabeza gacha y allí quedaba perdido en pensamientos y en noches se encerraba en su cuarto hasta día siguiente; no podía hablarle nada, un hombre sin remedio era hecho, contagiado era de locuras de León, y manía que tenía con alemanes y pogróms, me dijo un día ¿y si los alemanes metieran en casa?, mismo me preguntó una vez León y ¿qué iba decirle yo?

Antes morirse Marquitos díjome, Moisés le había robado Jacobo dinero y ahora Jacobo no tenía dónde caer muerto, pero yo le había advertido de Moisés no podía esperarse nada bueno, por eso díjele no vuelvas Chepén, trabaja de viajero como yo por pueblos . . . pero después Jacobo quedó convertido en vivo retrato de León . . . yo quería León como hermano, pero una pesadilla era quedar en su casa; voz de León llenando cuartos de ecos irreales, León hablando todo tiempo del pasado, diciendo sin parar cada rato también aquí llegarán los alemanes; en su casa se me venía mundo encima, todo patasrriba, la ciega de cuarto en cuarto con el rosario en mano, temblando todo el tiempo epiléptica parecía; León encerrado en buhardilla, gritos dando, con gente invisible hablando cosas yo no entendía una palabra . . .

Ahora huesos de León deben ser al aire libre sin sepultura, merced del viento serán seguro; después le dije la Felisa cuando muero no mandes ninguna manera cajón a Lima, quiero entierro contigo en Chiclayo y la Felisa díjome "triste destino no tener entierro" y yo dije al padre no mande cajón a Lima, mejor dar sepultura en pueblo, iba dar buen donativo para iglesia, dije, pero el cura "se lo lleven a otro cementerio". A Guadalupe no podía llevar si no me hablaba con cura allí tampoco, si creía yo era comunista, y me preguntó lo mismo el padre Chirinos cuando murió León y entonces no tuve más remedio despachar cajón a Lima, que líos no quería tener con nadie.

Dios gracias no tenía volver más, díjeme, me voy derecho Chiclayo ahora, díjeme, adiós este pueblo para siempre, por eso fui casa del viejo Wilson, porque sabía era mi último viaje en pueblo.

También sabía Jacobo iba preguntar cómo era Efraín y después lo vi díjeme no podía decirle la verdad; nueve años tenía y una sombra parecía el chico, sólo huesos era, de lejos sólo lo vi, miedo tenía él de venir más cerca, no era bueno hablarle díjeme, mejor así si no conocía su padre. Dice el sabio Salomón el tiempo dicta todo, dicta hablar y dicta callar y ¿para qué hablar nada? No era momento explicarle Efraín qué había pasado su padre; fría era la casa como cueva tenebrosa, ese día era el cura allí también, no vi madre del muchacho ninguna parte, el viejo Wilson díjome llévelo Lima ahora mismo, mejor será con su padre, tal vez razón tenía, pero el padre Chirinos palabras del diablo son esas don Efraín, no podemos mandar chico donde judío.

Y tiempo tuvo Jacobo ir verlo las veces estuvo por el norte, pero seguro matado lo habrían si haya entrado en pueblo, él sólo vendía sus cosas en Guadalupe y San Pedro, no iba mostrar cara por Chepén, que loco habría sido aparecer en casa de los Wilson después todo que pasó, con odio de doña Jesús, casa de locos todos son, pensaba me iban matar también cuando era allí, creía me iban robar todo, ojos no perdía de mi maleta, y ahora después tanto tiempo pedirme Jacobo le traiga el hijo, cuando yo prometí Felisa jamás volvería Chepén después León murió . . .

Cuando fui decirle León era muerto Jacobo ya no quería su hijo en Chepén y díjome vaya darles plata en cambio por Efraín. El muchacho es mejor allá pensé para mi adentro, me habrían sacado con golpes además, que no se compra un niño como mercancía, tan triste Efraín además, no parecía de este mundo, como muertecito era y a lo mejor se haya muerto ya.

Estúpido ir ahora después tanto tiempo, déjalo allá, díjele, pero Jacobo que no, Sara será su madre, díjome. ¿Dónde habría sacado esa idea? ¿Qué va hacer Sara con Efraín? Nunca sintió por Jacobo nada más compasión, gratitud también porque salvó Moisés de cárcel y ruina, pero jamás amor como creía Jacobo.

Sara me dijo un día debe casarse Jacobo y hacer familia, años pasan y no es bueno un hombre viva solo, Miriam sería buena esposa, pero Dios gracias Jacobo abrió ojos, pero vida mejor podría haber hecho, vida decente de judío y no metido en burdel, porque no es cosa de judíos le diría si podría ir verlo, hora arrepentirse de pecados le diría, pero también peor lo que hacen otros paisanos, que año pasado Lubin incendió tienda y allí es también Fishman de contrabandista, su foto es en los periódicos por vergüenza de toda la Colonia.

Doloroso ver falta interés en la Colonia, ningún obra de bien colectivo, nada de cultura judía, vacía la biblioteca, ¿acaso no dan cuenta lectura de buenos libros es como tónicos prescriptos por buen facultativo? Por eso bueno me fue irme Chiclayo hacer familia aunque no viva entre judíos; mejor dejar Moisés sea presidente y haga rico y sea respetado por todo mundo; mejor por mí vivir tranquilo unión de mi familia, que un náufrago cuando pisa tierra lo primero busca un ser vivo soportar en compañía los peligros que en futuro pueden ocurrir. Por eso me casé con la Felisa y tengo mis hijos, que Moisés sea presidente, porque ¿quién quiere acabar como Daniel en deudas metido y con un tiro en la cabeza? ¿O como Jacobo sin nadie se apiade su suerte ni su hermano?

Por eso lo menos puedo hacer es salir Chepén mañana mismo con su encargo . . .

PAGINA MEDICA

Esta nueva sección, que estará a cargo del talentoso médico israelita Bernardo Rabinowitz, está destinada a la popularización de temas médicos, de indiscutible utilidad e interés para la Colonia. —Red.

LA HIGIENE DIGESTIVA

Es innumerable la cantidad de individuos, aún jóvenes, a quienes los padecimientos digestivos han envejecido prematuramente hasta llegar a perder el interés por la vida, cuando aún no es tiempo para ello. Producto de esto son los transtornos que enumeramos a continuación: ardores, vómitos, dolores abdominales después de las comidas, indigestiones frecuentes, dolor de cabeza, torpeza intelectual y enrojecimiento después de comer, erupciones cutáneas, estitiquez, diarreas inexplicables, apetito insaciable, hemorroides, mareos, lengua sucia, mal aliento, etc.

Es fácil evitar estos transtornos observando ciertos preceptos higiénicos. Hay que comenzar por comer a horas fijas y masticar lentamente sin preocupaciones extrañas. En cuanto a la calidad de los alimentos y su elección, debe restringirse el consumo de picantes, especias y alimentos grasos (guisos, salsas, paté de hígado, sesos, mondonguitos, salchichas, morcillas, riñones, mollejas, criadillas, mariscos, aves de caza, etc.). No conviene abusar de las carnes, sean blancas o negras, de las que debe servirse un solo plato durante las comidas, acompañado de verduras. El segundo plato puede estar formado por tallarines, puré de papas, espinacas en mantequilla y jugo de carne.

(Continuará)

SOBRE LOS JUDIOS EN EL PERU

(Especial para *Alma Hebrea)*

Don José A. de Lavalle ha publicado bajo el rubro de "Cómo el Santo Oficio de Lima convirtió en venerable a un judío", algunos datos del venerable Antonio de San Pedro, quien se llamó para el siglo Antonio Rodríguez Correa. Era en el Perú de la Colonia un lencero, vendedor de chifles, que, condenado a llevar sambenito, se recluyó en el Convento de La Merced, empleándose en la cocina. Enviado al Viejo Continente, vistió hábitos de lego y con su buen natural y temperamento místico, tonificado en esta ciudad religiosa y delicadamente sensual, que también vivificó la llama fervorosa del beato Martín de Porres, repartió taumatúrgicas bondades e intencionados consejos, saturado quizá de aquel proverbio del rabí Don San-

"Nin val l'azor menos porque en vil nido siga
Nin los exemplos buenos porque judío los diga"

Un libro impreso en Lima en 1692 e intitulado "Dios prodigioso en el judío obstinado", dice lo siguiente:

"Antonio de San Pedro practicaba la ley mosaica siendo bautizado, guardaba los sábados y rezaba los salmos de David sin "gloria patri", conservaba una Biblia en romance. Fue fautor de herejías, porque en su viaje que hizo a Huancavelica rezaba unas oraciones que según él tenían la eficacia de apartar todo peligro y aconsejaba a sus compañeros que lo imitaran y era, por fin, encubridor, porque se había reunido en Lima con otros de su secta para celebrar el día grande del Señor a la manera que lo hacen los hebreos, es decir, cantando salmodias, comiendo pescado guisado con aceite y pan sin levadura".

FRAY FERNANDO,
lego del Convento de La Merced.

IV

Postrado en su lecho de enfermo desde hacía varios días por mandato terminante del doctor Rabinowitz, Jacobo Lerner se dedicó, con paciencia de escribano, a poner en orden sus papeles. Trabajaba sin descanso hasta muy entrada la noche verificando facturas antiquísimas y revisando mentalmente el inventario de la casa, en cuyas habitaciones se iba acumulando distraídamente un polvillo ceniciento que se colaba con el viento de la tarde por la puerta falsa.

Al comprobar que no dejaba deudas, Jacobo se sintió asaltado por una ligera desazón, mezcla de fastidio y de rencor, pero se consoló con la idea de que mientras le durara el aliento, nadie, ni su hermano Moisés, vendría a trastocar el escueto y riguroso método que durante seis años había impuesto en su casa.

Todo permanecía en su sitio, en la azotea, un sinnúmero de macetas que albergaban enredaderas, gardenias, geranios y claveles, así como una jaula gigantesca habitada por ruiseñores y canarios; en el recibidor, los mismos sillones floreados que había comprado por sugerencia de su cuñada después de su segundo regreso a Lima; en el comedor, una mesa de caoba con ocho sillas encolchonadas de rojo carmesí; en el despacho unos cuantos estantes atiborrados de libros en su mayoría desempastados y un viejo escritorio de nogal, donde se sentaba por las noches a sacar sus cuentas; en el dormitorio, la cama estilo Luis XVI que le había recomendado doña Juana, un ropero de dos puertas que ocupaba la mitad de la pared del fondo, una mesita de noche donde descansaba una radio RCA Víctor, adquirida a plazos en el año de 1929, y, encima de una cómoda de bordes ornamentados, un herrumbroso candelabro de plata y un elefante hindú de loza azulada.

Terminado el inventario, Jacobo Lerner se incorporó penosamente con ayuda de los codos, se dio media vuelta, la cabeza suspendida hacia arriba, y se cercioró de que el retrato de sus padres continuaba colgado sobre la cabecera de la cama. Después de enderezarse, se dejó caer sobre la almohada y cerró los párpados. Intentó ahuyentar de su mente toda una maraña de recuerdos que ensombrecían su espíritu, pero sus esfuerzos resultaron vanos. Hacía varias semanas que Jacobo se sentía sumido en vertiginosa carrera por el tiempo, zarandeado de escenario en escenario como un pelele. Se le asemejaba su vida un viaje que empezaba en Chepén y terminaba en Staraya Ushitza frente al cadáver abandonado de su padre. Y Lima era una zona ingrávida entre esos dos tiempos y esos dos espacios.

Cuando recordó que en 1926 había sido desfalcado por su hermano Moisés, que había deambulado durante dos años por pueblos y regiones inhóspitos y que, en 1934, había sido poseído por el espíritu de León

Mitrani, Jacobo pensó que había vivido todo ese tiempo entregado indefenso a un enemigo todopoderoso que se ensañaba persiguiéndole sin tregua. Y ahora se veía acorralado por la muerte. Sabía que iba a morir sin haber conocido a su hijo, sin siquiera abrigar la esperanza de que su paso por la vida sería continuado por un heredero digno de él.

En varias ocasiones había tratado de imaginar el semblante de su hijo, mas siempre se topaba con el rostro ora tímido, ora amenazante de Virginia. El abatimiento y el melancólico recuerdo de una vaga felicidad pasada en su pueblo natal, que jamás habría de recobrar, le habían forzado a pensar que Dios era un tirano despiadado y arbitrario.

Cuando por fin logró dormirse, Jacobo soñó que había sido visitado por Moisés, León y Samuel. Puestos de acuerdo para venir a amonestarlo, los tres visitantes se colocaron al borde de su cama y desde allí le reprendieron despiadadamente el haber abandonado a su hijo en manos de cristianos. Le dijeron, luego, que todo sufrimiento era el castigo de una falta cometida, que no podía eludírsele más que reconociendo la culpabilidad y que lo único que podía hacer a la hora de la muerte era volverse hacia Dios con el corazón penitente. Sin embargo, Jacobo defendió obstinadamente su inocencia y se negó a declararse culpable. Cuando las censuras de sus visitantes se hicieron más acerbas, Jacobo les imploró, con voz desfalleciente y llorosa, que lo dejaran morirse en paz. Por fin consiguió sofocar las voces de sus jueces alegando que los pecadores solían gozar de la más completa felicidad y que la justicia divina era una fantasía, porque Dios hacía perecer lo mismo al justo que al impío. Sin esperar a que Jacobo pusiera fin a su defensa, los tres visitantes abandonaron cabizbajos la habitación.

Cuando despertó de su sueño, Jacobo se sintió atribulado por un sin fin de pensamientos que revoloteaban en su mente como pájaros de mal agüero. En una noche como esa, colmada de olores a fritangas y anticuchos, de aparatosas guarachas que repetían sin cesar el mismo estribillo, Samuel Edelman se había presentado inesperadamente en su casa, hacía más de un año, para darle la noticia de la muerte de León Mitrani.

Desde que Jacobo Lerner saliera de Chepén, una tarde soleada y tranquila del mes de julio, habían transcurrido nueve años de silencio absoluto entre los dos amigos. Edelman, que por esa época continuaba emprendiendo aún sus bimestrales travesías a Chepén, lo había mantenido informado todo ese tiempo sobre la desventurada suerte de Mitrani. Cuando Jacobo se enteró de la noticia, encendió siete velas en memoria de su amigo durante siete días consecutivos y fue a la sinagoga de Breña para rezar por el alma del difunto. Sin más fundamento que el que le brindaba la imaginación, Jacobo Lerner pensó que su vida, así como la de León Mitrani, bien podría haber tenido una trayectoria diferente de haberles sido un poco más favorable la fortuna. Pensó también que lo más seguro era que a Mitrani le hubiesen colocado una cruz sobre la tumba.

Le regresó la memoria al año de 1907. Era un sábado por la noche; se dirigía con León Mitrani hacia la casa del rabino Finkelstein, con el libro de rezo bajo el brazo, porque se estaban preparando para la *bar mitzva,* la cual habría de celebrarse al año próximo. Por esa época no había entre los muchachos de su edad quien los aventajara en el conocimiento de la Biblia, y los dos amigos llegaron a soñar que con el tiempo se convertirían en serios estudiosos del Talmud, que serían respetables y sabios rabinos de una comunidad más importante y numerosa que la de Staraya Ushitza y que se casarían con las hijas del rabino Finkelstein.

Luego vinieron los años de la primera guerra, durante los cuales se cerró la escuela del rabino y se desató una epidemia de hambre en el pueblo.

En 1917, después de ocurrida la desaparición de su hermana Judit y de su hijo, el enloquecimiento de su esposo y la muerte de sus padres, Jacobo Lerner presenció la entrada de los alemanes en Staraya Ushitza. Ese año murió el padre de León Mitrani, quien después de ser vituperado por el rabino Finkelstein en plena calle, abandonó los estudios talmúdicos y prácticamente se encerró en su casa.

Ese mismo año, Mitrani entabló amistad con Yehuda Moretz, un carpintero que había llegado al pueblo con el grupo de judíos refugiados provenientes de Lituania. Moretz le habló acerca del avance de las tropas bolcheviques y lo convenció de que fueran a su encuentro. Unos meses después, León Mitrani ingresaba en las filas socialistas, en las cuales participó activamente hasta 1920, año en que volvió desilusionado a la casa de su madre con la irrevocable decisión de abandonar Rusia.

Jacobo Lerner, que se había quedado en el pueblo al cuidado de la madre de León Mitrani y que había presenciado los pogróms ocurridos entre 1917 y 1919, decidió acompañarlo. Remontando el Dnieper, llegaron a Kiev en una barca de pescadores y luego se dirigieron por tren a Koresten. Como no tenían pasaportes para pasar a Polonia, se pusieron en contacto con el hijo del rabino de dicha localidad, quien, por la suma de diez rublos, aceptó conducirlos ilegalmente a la ciudad de Cracovia. Caminaron toda la noche atravesando un tupido bosque de pinos y cuidándose de no ser descubiertos por los soldados que patrullaban la frontera. De Cracovia pasaron inmediatamente a Varsovia, donde se agenciaron pasaportes falsos para trasladarse a Alemania.

Jacobo Lerner y León Mitrani se separaron en Hamburgo, donde Mitrani se embarcó rumbo al Brasil como marinero del *SS Bremen*. Preocupado por la suerte de los parientes que había dejado en Rusia, Jacobo Lerner decidió quedarse por un tiempo en Alemania.

Un año más tarde, sin saber que Mitrani había ido a parar en el Perú, Jacobo desembarcó una noche del año veintiuno en el puerto del Callao. Lo que sucedió después fue pura coincidencia. En la pensión de Jesús María adonde había ido a buscar alojamiento, Jacobo conoció a Samuel Edelman, un judío alto y fornido oriundo de Vinnitsa, pueblo situado a quince leguas de Staraya Ushitza. Edelman le comunicó que en un pueblito del norte del país, llamado Chepén y que quedaba aproximadamente a quinientos kilómetros de la capital, vivía un paisano suyo que respondía al nombre de León Mitrani.

ALMA HEBREA: No. 2 — Febrero, 1925 2

FIGURAS DE LA INQUISICION

(Especial para *Alma Hebrea)*

MANUEL LOPEZ

Se le acusó de guardar el día Sábado, de barrer la casa los viernes, de ponerse camisa limpia, de contar a un amigo historias del pueblo de Israel. El Tribunal lo condenó a salir por las calles con mordaza y se le confiscaron sus bienes. Fue preso y se le sometió a tormento para que hiciera confesion de sus creencias. No bien hubo dado nueve vueltas estando en el potro, cuando comenzó a dar voces confesando que era judío. López permaneció fiel a su fe y fue condenado a ser quemado vivo. Habiendo fallecido en la cárcel antes de cumplirse la sentencia, su imagen fue quemada públicamente por la Inquisición.

FRAY FERNANDO,
lego del Convento de La Merced

AVISO

LOS JUDIOS, AL PRETENDER NATURALIZARNOS PERUANOS, NO TENEMOS EN MIRA NINGUN BENEFICIO QUE PUEDA APORTARNOS ESTE ACTO, SINO FORMALIZAR OTRO NEXO MAS A LOS QUE NOS VINCULAN A ESTE GRAN PAIS, DONDE HEMOS RESUELTO FORMAR NUESTROS HOGARES.

¡CORRELIGIONARIO, NATURALICESE PERUANO!

TRIBUNA LIBRE

Chiclayo, enero de 1925

Sr. Director de la Revista "Alma Hebrea"

Mi buen amigo:

Es bien sabido que en los países donde la colectividad israelita es numerosa, su actuación produce beneficios innegables, no sólo en el desarrollo del comercio, sino también en el campo de las artes y las ciencias.

Aquí en el Perú, nuestra Colonia es muy joven todavía, pero ya se puede notar la gran influencia de la colectividad judía. Hay en Lima muchas casas comerciales hebreas y en el campo de la industria, los judíos también estamos aportando nuestro contingente. Así, hemos fundado la industria del tejido de punto, industria que antes no existía casi en el país; hemos desarrollado la confección de pieles, fundando varias casas grandes al estilo europeo y utilizando grandes cantidades de pieles nacionales, que antes no eran aprovechadas.

Muchos judíos, en testimonio de gratitud y afecto a este gran país, que nos brinda acogida generosa, nos hemos naturalizado peruanos, y transmitimos esta nacionalidad a nuestros hijos; y muchos otros que todavía no lo han hecho están decididos a formar sus hogares en esta tierra, que ellos aman como a su segunda patria, y están resueltos a adaptarse a sus costumbres y a su manera de vivir.

Sin más, quedo de Ud. su atento y S. S.

SAMUEL EDELMAN

AVISO

EL COMITÉ DE LA UNIÓN ISRAELITA PONE EN CONOCIMIENTO DE LA COLONIA, que ya recibió la matzá de la afamada fábrica de Manisevich (New York), y que será vendida en los siguientes sitios:

DONDE LOS SEÑORES: Daniel Abromowitz, Plateros de San Pedro 188; Moisés Zigel, calle Espíritu Santo 543; y Alberto Peck, General La Fuente 194.

PEDIDOS DE PROVINCIA: Dirigirse a don Moisés Lerner, calle Bodegones 393, remitiendo el importe del pedido y transporte.

V

Entrar en la casa de León Mitrani era para Jacobo Lerner colocarse con los ojos vendados al borde de un precipicio, abalanzarse en un mundo que le resultaba al mismo tiempo familiar y extraño, donde al lado de descoloridas estampas de la beata de Motupe, vistosos grabados del Sagrado Corazón de Jesús y crucifijos de madera de todos los tamaños, convivían una serie de objetos propios de la liturgia judía, como candelabros de bronce, un juego de filacterias guardado en una bolsa de terciopelo granate, con la estrella de David bordada en oro, y diversos *sidurim* con tapas de cuero repujado, que Mitrani se había llevado consigo cuando abandonó la casa de su padre.

La primera vez que vio esas reliquias en casa de Mitrani, Jacobo Lerner se preguntó si su hermano Abraham conservaría aún los enseres de su padre, Yosef Lerner, fallecido en Staraya Ushitza, entre la soledad y la nieve.

En esa casona llena de recovecos, de alcobas vedadas, espaciosos jardines interiores que parecían flotar en una atmósfera enrarecida, por donde era imperativo desplazarse en silencio y cabizbajo, como si se marchara en medio de una procesión invisible, Jacobo Lerner, agobiado por el sopor que transpiraban las paredes, los apolillados roperos y los sillones desfondados por el uso, siempre se sintió fácil presa del encerramiento producido por esas puertas y ventanas perennemente trancadas y esos estrechos pasadizos que no conducían a ninguna parte.

La mujer de Mitrani, que se había ido enceguecíendo paulatinamente sin que la ciencia médica hubiese podido detener la enfermedad, habitaba el piso superior de la casa. Allí tenía una habitación separada de la de su marido, donde se pasaba la mayor parte del día entretenida en bordar tapetes y fundas para almohadas, que luego Mitrani vendía a precios módicos en su tienda.

Una vez, estando de visita, Jacobo entró en su pieza por equivocación y la sorprendió, sin ella percatarse de su presencia, recitando una letanía: "Señor —decía en voz apenas perceptible—, perdóname por haberme apartado de tus preceptos, por haber entregado mi cuerpo a un hereje que blasfema de tu nombre y que desciende de aquellos filisteos que te atormentaron en la Cruz. Señor, siquiera haz un esfuerzo por comprender mi situación. ¿Quién se apiadará de mí a estas horas, vieja y ciega como estoy? ¿Quién me recogerá en su casa? Señor, no cejo de renegar el haber sucumbido a la tentación, el haber contrariado la voluntad de mi padre, el no haber puesto un pie en la iglesia desde que me vine a vivir en esta casa. Dios mío, perdóname, pero hasta he pensado en matarlo. ¿Cuántas noches no me he desvelado haciendo planes para darle muerte?

Señor, ahora sólo te ruego que acojas a esta oveja descarriada en tu Reino".

Cuando Jacobo le comunicó el incidente a Mitrani, éste se encogió de hombros y le respondió que ya sabía él que su mujer estaba loca, y le advirtió, con tono amenazador, que no andara metiendo las narices en lo que no le incumbía. Jacobo se quedó profundamente consternado, no tanto por el insulto de que había sido víctima como por la despreocupación mostrada por su amigo frente a la noticia. Esa conversación no hizo más que confirmar las sospechas que venían fraguándose en la mente de Jacobo desde su llegada a Chepén. Si bien era verdad que su mujer había perdido la razón, también era cierto que León no le iba a la zaga. Ultimamente, apenas despuntaba el alba, se le había dado por ponerse las filacterias que habían sido primero de su abuelo y luego de su padre.

A Jacobo le parecía igualmente absurdo que ese hombre que había renunciado a la religión de sus antepasados y que, ya adolescente, había sido injuriado públicamente por el rabino del pueblo por no haber hecho acto de presencia en la sinagoga durante los servicios del *Kaddish* oficiados en memoria de su padre, se pusiera a estas alturas de su vida a reanudar seriamente el estudio de la Biblia y a citar con garbo de sumo sacerdote, sin importarle el sitio o la ocasión, aquellos pasajes de las Escrituras donde Isaías desata su furia de profeta mayor contra el rey Ajás de Judea, quien llevado por el afán de congraciarse con el invasor Tiglat, no puso mientes en sangrar a su pueblo, saquear el templo de Salomón, abolir el hebreo como lengua oficial del reino e instituir el culto a los dioses asirios.

Como era de esperarse, el comportamiento de Mitrani no sólo atemorizó a la gente del pueblo, sino que requirió la intervención del padre Chirinos en el asunto. Sin embargo, poco efecto produjeron las amonestaciones del cura en el espíritu de Mitrani, puesto que provenían, según él, de un impostor que representaba a un Dios cuya existencia tanto celestial como terrenal, había sido ya puesta en duda a mediados del siglo XII por el poeta judeo-cordobés Abrahán Ibn Ezra.

A partir de ese entonces, la gente dejó de frecuentar su tienda y Mitrani empezó a verse gradualmente abandonado por los pocos amigos que le quedaban. Por otra parte, la antigua clientela de Mitrani fue a parar, más por necesidad que por otra cosa, en la tienda de Jacobo Lerner, quien, si bien se mostraba menos solícito a las exigencias de sus nuevos clientes, tampoco los agredía de palabra lanzándoles epítetos propios de burdel de mala suerte.

Con el tiempo, Jacobo fue el único que osaba dirigirle la palabra. Cuando se hallaban en público, ya sea en el vestíbulo del hotel donde se hospedaba o sentados en una banca de la plazuela que quedaba frente al hotel, Jacobo hacía un gran esfuerzo porque sus pláticas con Mitrani se realizaran en *idish*, para así negarles acceso a los curiosos que se detenían a escuchar la conversación. Pero no había forma de convencerlo de que hablaran en el idioma materno. Invariablemente, Mitrani revertía la conversación a un español impecable, aunque levemente afectado, aprendido mediante la lectura asidua de una versión española del Nuevo Testamento que le había regalado su mujer con intenciones de aleccionarlo en la verdadera doctrina.

Dadas las circunstancias poco favorables para hacer alarde de una amistad que empezaba a deteriorarse y a desprestigiarlo, Jacobo decidió limitar el trato con Mitrani a esporádicos encuentros en su casa o en el cuartucho del hotel. Aunque últimamente le resultaba prácticamente imposible entenderse con su amigo, todavía derivaba cierta satisfacción de visitarlo en esa casona donde el sol, lejos de alumbrar, parecía ennegrecer las cosas.

Pese a que la mayoría de las conversaciones entabladas con Mitrani se reducían casi siempre a peroratas francamente incoherentes acerca de su frustrada carrera política en las filas bolcheviques, allá por el año veinte, a Jacobo le agradaba oírlo hablar de la época en que vivieron juntos en ese apartado pueblecito de la Ucrania meridional.

Varios eran los vínculos que ataban a estos dos hombres. Habían nacido en el mismo año, fueron condiscípulos en la escuela del rabino Finkelstein, hicieron la *bar mitzva* al mismo tiempo en la misma sinagoga, juntos abandonaron Rusia atravesando a pie la frontera con Polonia y ahora, después de una separación de tres años, volvían a reunirse en el olvidado pueblo de Chepén.

Sin embargo, ése no era el único motivo por el cual visitaba la casa de Mitrani. En una habitación que daba al descuidado huerto donde ya no crecían floripondios ni árboles frutales, Mitrani había almacenado una veintena de novelas y libros de economía en *idish* y ruso. A la hora de la siesta, actividad que Mitrani aprendió a cumplir religiosamente, Jacobo se dedicó a leer novelas de Isaac Peretz, Scholem Asch y Sholem Aleijem. Encontró también entre esos volúmenes de hojas amarillentas y carcomidas, una edición sin tapas de *El eterno judío,* drama de David Pinsky, presentado en Moscú por la compañía teatral "Habimah", allá por el año de 1916. Pero sus lecturas favoritas eran las novelas de Sholem Aleijem, especialmente *La muerte de Yankel Brodsky,* donde se narran las peripecias de una familia judía en la Rusia zarista.

Esas lecturas, las reminiscencias de León Mitrani y un viejo retrato de sus padres que conservaba en el fondo de su maleta, constituían el único contacto de Jacobo Lerner con una realidad que se le iba desmenuzando rápidamente según transcurrían los días en Chepén.

AUTOS DE FE

(Especial para *Alma Hebrea)*

Los autos de fe, el espectáculo público de las quemazones de infieles, de herejes o de renegados, se verificaban en las principales plazas de la ciudad de los Reyes, cuando se instaló el Santo Oficio y comenzó a llenar su terrorífica labor. Pero pronto tan bárbaro espectáculo fue trasladado a zonas más alejadas del centro de la capital, hacia los extramuros, hacia los nuevos arrabales que circundaban la población, ceñida entre altas y sólidas murallas de adobe.

La quema duraba desde las primeras horas del día hasta las últimas de la tarde, según fuera grande el número de los condenados al suplicio de las llamas.

Los acompañamientos de un auto de fe eran solemnes y brindaban ocasión a los invitados de lucir insignias, títulos y prebendas. El Alguacil Mayor, los secretarios, familias y ministros del Tribunal salían a caballo con trompetas, clarines y atabales a pregonar el auto por la mañana; y por la tarde, un séquito numeroso acompañaba al estandarte. Iba el Vicario General de Santo Domingo llevando la cruz verde con muchos religiosos encapuchados, que portaban hachones encendidos. El coro de la Iglesia Mayor cantaba "Virilia Regis" y "Deus laudem tuam". Los gobernadores indicaban órdenes de mando con sus bastones negros. Por otro lado ingresaban los penitenciados con la cruz de la parroquia y ayudados por la clerecía, que cantaba "Miserere mei". Luego salía el virrey precedido por su compañía de arcabuceros; lo seguían los vecinos notables, los caballeros, los oidores, las compañías de lanzas, etc. Las campanas doblaban con lúgubres tañidos, colocaban a los condenados en el palo de la hoguera y se daba comienzo a la quema.

FRAY FERNANDO,
lego del Convento de La Merced

PAGINA MEDICA

MAS SOBRE LA HIGIENE DIGESTIVA

La evacuación diaria es un hábito que debe formarse prematuramente con la ayuda del ejercicio diario y de una buena dieta alimenticia. Laxantes y purgantes solos, no harán más que exagerar el defecto.

La sobreexcitación nerviosa es perjudicial a la digestión y debe evitarse en lo posible. Los adelgazamientos rápidos, tan en boga hoy en día, son peligrosos, ya que exponen al estallido de una tuberculosis o de un transtorno digestivo.

Las fajas altas y ajustadas modifican la forma de los órganos digestivos y dificultan la respiración. Es preferible que sean cómodas y que no sobrepasen en altura al ombligo.

Recuerden: No basta vivir, es preciso saber vivir.

DR. BERNARDO RABINOWITZ

VI

La fotografía mostraba a un hombre alto y delgado, vestido de gabán negro y sombrero de alas anchas; descansaba el cuerpo sobre un grueso bastón y le cubría el rostro una barba espesa y cana, que le descendía ensortijada hasta la mitad del tórax. A su lado, sentada al borde de un sillón floreado, con las manos entrecruzadas sobre el regazo, aparecía una mujer pequeña, de rostro enjuto y ojos tristes, que llevaba el cabello envuelto en un opaco pañuelo de seda.

El retrato había sido tomado en Minsk, un día en que la familia entera asistió a la boda de la tía Natasha, la cual se casó con el matarife Leopoldo Mishkin, hombre membrudo y de cabeza desmedida, coronada por una lustrosa calvicie que le había comenzado a brotar en plena juventud.

La boda se celebró en 1905, cuando Jacobo sólo tenía diez años de edad y ni siquiera era capaz de imaginar que diez años más tarde empezaría a presenciar la progresiva desintegración de su familia.

Primero ocurrió la misteriosa desaparición de su

hermana Judit. Acompañada por su hijo de seis años, Judit abandonó el pueblo en plena guerra para ir en busca de su esposo, Mishka, quien, según rezaba la carta recibida de las autoridades militares, se encontraba convalesciendo en el sanatorio de una ciudad vecina.

Nunca más se tuvo noticias de ella ni de su hijo. Su marido, que había perdido el brazo derecho en una escaramuza, se recorrió a pie el territorio de la Ucrania tratando de averiguar el paradero de su esposa y de su hijo. Después de largos meses de infructuosa búsqueda, se apareció un día en casa de los Lerner. Se le veía totalmente derrotado, llevaba la ropa hecha jirones y mugrienta; tenía el rostro macilento, la barba crecida y sucia, la espalda encorvada. Habiendo enloquecido por la desesperación y el hambre, vivió el resto de sus días internado en el hospicio de Poltava.

El padre de Jacobo murió al año siguiente. Lo encontraron congelado en mitad del camino, con las manos crispadas a la rueda que se le había zafado a la carreta en que había emprendido viaje al pueblo aledaño para vender unos costales de cebada. En cuestión de pocos meses, la madre de Jacobo siguió la senda de su esposo. Falleció durante el sueño, una mañana de agosto, a los cincuenta y cinco años de edad.

Libres de las ataduras familiares, los hermanos Lerner decidieron marcharse cada uno por su lado, luego de vender la casa de sus padres y repartirse equitativamente el dinero. El mayor, de nombre Abraham, fue a parar en Nueva York, donde con el tiempo instaló una peletería en Brooklyn, se casó y tuvo tres hijos. Jacobo se quedó a vivir en el pueblo, en la casa de León Mitrani. Moisés, que era el menor de los hermanos, se trasladó a Minsk, donde fue calurosamente acogido por la tía Natasha.

Jacobo y Moisés volvieron a reunirse en 1922, en Lima, donde el primero se hallaba radicado desde el año anterior. Se pasaron dos años trabajando como mercachifles por las calles de la ciudad, vendiendo hojas de afeitar, brazaletes y pulseras de metal, collares de vidrio y otras baratijas propias del oficio. Los hermanos Lerner vivían por esa época en una pensión del barrio de Jesús María, administrada por una condesa rusa caída en desgracia, conocida bajo el nombre de Madame Chernigov, homónimo de una ciudad del norte de Ucrania, famosa por su catedral bizantina, construida en el año 1024. Fue por ese entonces que Jacobo Lerner recibió la carta de León Mitrani. Como había conseguido ahorrar un pequeño capital, y ya Moisés andaba haciendo planes para casarse con una judía vienesa, Jacobo resolvió dejarse guiar por los consejos de su amigo.

Al año de residencia en Chepén, Jacobo Lerner conoció a Virginia, una muchacha de expresión agitanada y vivaz, que por entonces rayaría en los diecisiete años de edad. Virginia era hija segunda de don Efraín Wilson Rebolledo, hombre larguirucho y colorado, que descendía de ingleses y españoles, y de doña Jesús Alvarado, una señora cetrina y propensa a la obesidad, por cuyas venas corría sangre india y andaluza. Virginia, que nunca había puesto un pie fuera de Chepén, se enamoró de Jacobo Lerner la primera vez que lo vio en su tienda desde la acera de enfrente, escondida detrás de unos sacos de maní amontonados junto al almacén del injerto Chang.

Como Jacobo se había convertido en tema de sobremesa en la mayoría de las casas del pueblo, Virginia ya lo conocía de oídas, sobre todo por la elaborada relación que don Efraín Wilson había hecho sobre la figura del judío, como solía llamarlo con cierto dejo de admiración porque el viejo, que también era comerciante, sentía un profundo respeto por los "hombres de empresa". Por considerarse, además, de origen sajón, ya que prefería olvidar sus raíces castellanas, se imaginó que entre él y Jacobo Lerner existía un vínculo casi sanguíneo, dada su condición de extranjero en esas tierras y dado su pertinaz propósito de enriquecerse en poco tiempo mediante la abstinencia de lujos innecesarios.

Don Efraín Wilson Rebolledo tampoco era oriundo de Chepén. Nacido en Cajamarca, se trasladó a Chepén a raíz de la muerte de su padre, de quién heredó una considerable suma de dinero así como una excelente disposición para el trabajo. Ya casado y con una hija a cuestas, lo primero que hizo cuando llegó a Chepén a principios de siglo, fue comprarse una casa en la calle principal, donde instaló a su familia sin más muebles que los que traía: una mesa astillada de tres patas, una silla con respaldar de mimbre, una cama de campaña, un catre oxidado, dos esteras de paja y un baúl de chapas inservibles donde guardaba sus mercancías.

Con el tiempo, don Efraín adquirió más hijos y más casas, las cuales ascendían ya al número de veinticinco y le rendían una renta anual de tres mil quinientos soles. Si se sumaba a esta cantidad el dinero que ganaba en sus correrías por los pueblos vecinos vendiendo palanganas, cacerolas, estufas de parafina, lámparas de kerosene y platos de porcelana, se le podía tener por hombre rico.

Alentado por una curiosidad que al principio sólo fue de orden profesional y que se vio intensificada a partir de la decadencia de Mitrani y el consecuente y rotundo éxito financiero de Jacobo Lerner, don Efraín se apareció un día en su tienda para convidarlo a cenar en su casa.

Esa noche, Jacobo fue presentado formalmente a Virginia, con quien, a pesar de la natural timidez de la muchacha, congenió desde el primer instante de haberla conocido. Tan pronto que se le disipó el pudor, Virginia comenzó a acosarlo con una metralla de preguntas sobre sus viajes por el mundo y la gente que en ellos había conocido. Como carecía de la seguridad de haber llevado una vida excepcional, Jacobo aderezaba sus aventuras con ciertos ingredientes de su propia invención. Jacobo Lerner no tardó en darse cuenta de que Virginia se dejaba engatuzar fácilmente y logró convencerla, entre otras cosas, de que había intervenido activamente en la primera Guerra Mundial, había ido en peregrinación el Santo Sepulcro, así como asistido a la apertura del Canal de Panamá.

Debido a que Virginia no había recibido ningún tipo de instrucción formal, porque la escuela del pueblo se fundó cuando ella ya había rebasado la edad escolar, Jacobo se veía obligado a explicarle pacientemente lo que significaban esos nombres. Sin embargo, los temas religiosos no requerían ninguna explicación, porque a Virginia, que no era analfabeta, le encantaba leer las Sagradas Escrituras. Por lo común, Jacobo Lerner le relataba pasajes del Antiguo Testamento; y en el tiempo que duró su estadía en Chepén, después de empezar a verse subrepticiamente con Virginia en su tienda o en las afueras del pueblo, es probable que no hubiese dejado ninguna historia bíblica sin contar.

Acostados en el camastro que Jacobo había acomodado en la trastienda, le refirió un centenar de veces los fabulosos amoríos de David y Betsabé y de Sansón y Dalila. Virginia, que lo atendía embelesada por esa voz que parecía transportarla al escenario mismo de los acontecimientos, no osaba perderse una palabra. Y Jacobo, que acababa de cumplir los veintinueve años de edad y cuya vida sexual se había reducido hasta la fecha a esporádicos encuentros con prostitutas callejeras y baratas de Berlín, no cabía en el pellejo de contento.

TRIBUNA LIBRE

Lima, abril de 1925

Sr. director de la Revista "Alma Hebrea"

Habiendo leído en el anterior número de "Alma Hebrea" una carta sobre la Biblioteca Israelita, y en mi deseo de que no desaparezca esta institución tan necesaria para nuestra Colonia, vengo a comunicarle que me consta que en muchas casas israelitas hay libros de nuestra biblioteca, y que convendría nombrar una comisión (de la cual no tengo inconveniente ser miembro) para que ella visitara a todas las casas israelitas de la capital para recoger estos libros.

Sin más, le saluda atentamente su S. S.

MOISÉS LERNER

CULTURALES

"¿DONDE ESTA MI HIJO?"

Esta obra a cuatro actos, presentada en la sala Bolognesi, es un melodrama de segundo orden, pero que ofrece a buenos artistas excelentes oportunidades de lucirse. Fue montado con buen éxito, pese a las deficiencias de orden decorativo, vestuario, cambio de luces y otros elementos indispensables para el buen montaje de una obra teatral.

Desde que se levanta el telón en el primer acto, se notan los efectos del trabajo del "regiseur", evidenciado principalmente en el tercer acto, cuando la madre Peisajovich y Albert cantan "Wi is main kind?", y aparecen pasando por el umbral de la puerta los demás protagonistas de la obra, en ademán de interrogación. Esta escena gustó bastante.

De los protagonistas se distinguió sobre todo la señorita Guinsburg, quien, a pesar de su notorio estado de debilidad física, puesto que tuvo que trabajar estando bien agripada, caracterizó muy bien su papel de mujer arruinada moral y físicamente por los vicios, inclusive el de beber; principalmente gustó en los primeros actos, cuando caracterizó a la mujer en estado be beodez.

El señor Goldstein se desempeñó correctamente durante los dos primeros actos, caracterizando bien este tipo cómico, que gustó bastante. Brassler estaba bien en el papel de médico, pero al recibir y dar lectura a la carta de su mujer que lo había abandonado hace años, se desempeña en forma poco convincente, pues no sabe —o no quiere— aprovechar este momento de intensa dramaticidad, pues ni con la voz, ni con la mímica, demuestra sentir la dramaticidad del momento. En el tercer acto, al cantar "Wi is main kind?", sigue con el cigarro en la boca y hasta agacha la cabeza, seguramente para ocultar una risa o un ademán de desprecio por la obra.

Por último, el acompañamiento musical estuvo deficiente. Sin embargo, el público abandonó la sala sumamente complacido de haber presenciado una obra en *idish* sobre un tema de suma importancia para todos nosotros, como es el de un padre que, enfrentándose a toda clase de adversidades, trata de rescatar a su hijo de las manos de una madre arruinada por el vicio.

La Redacción

VII

Efraín: Chepén, Enero, 1933

El doctor Meneses vino por la tarde a curarme los mareos. El doctor Meneses es viejo, pero no tan viejo como el abuelo y tiene las uñas largas y amarillas, las cejas muy pobladas y enredadas que parecen una maraña, y unos lentes negros con lunas gruesas que le agrandan y desfiguran las bolas de los ojos como si fueran de agua. Yo le tengo miedo porque jamás lo he visto sonreirse, siempre vestido de negro y tiene la voz muy ronca como de ogro. Cada vez que me examina se pone muy serio y pensativo, frunce el ceño, retrocede unos pasos, menea la cabeza varias veces y se queda mirándome por un rato largo como si yo ya no existiera y me tuvieran que llevar al cementerio. Ricardo también le tiene miedo, pero él nunca se enferma y entonces no tiene que ir a su consultorio, que está lleno de vitrinas con frascos de pomadas apestosas y hay un esqueleto que cuelga del techo como un ahorcado.

Yo me enfermo a cada rato porque dice la Virginia que soy un debilucho y que parezco un chisco. Por eso ahora todos los de la casa me dicen chisco aquí, chisco allá . . . será porque tengo las canillas requeteflacas y las piernas estiradas que parecen zancos.

El año pasado tuve bronquitis, tos convulsiva y fiebre intestinal y falté al colegio casi todo el invierno, pero no me atrasé nada en mis estudios porque acabé el libro de lecturas sin que me ayudara nadie y este año cuando regresé a la escuela, doña Angelita se quedó boquiabierta de lo bien que leía y me hizo saltar de frente al tercer año, porque dijo que iba a perder el tiempo en el segundo, que es donde está Ricardo a pesar de que me lleva dos años y es mi tío.

La Tere ya tiene trece años y sólo está en cuarto porque no le gusta estudiar y prefiere tirarse la pera con las hijas de la Chang, porque se van al río por la tarde y dice Ricardo que las ha visto bañándose calatas y no tienen vergüenza ni nada y se tocan la cosa y le enseñan los vellitos rubios que tiene la Tere para que le entren cosquillas por todo el cuerpo y se ponga colorado de la vergüenza. Pero la abuela le dijo a la Tere que se ande con cuidado porque en el río vive un demonio que se roba a las muchachas y se las lleva al fondo para vivir en un castillo, y cuando salen otra vez tienen la barriga bien inflada que no pueden caminar.

Pero ahora la única enfermedad que tengo son los mareos que no me acuerdo cuándo me comenzaron a dar, pero dice el abuelo que nací con ellos en el cuerpo, porque dice la Tere que cuando nací casi me muero y me daban unos ahogos que me sacudían todo el cuerpo como una lombriz y se me ponía la cara amoratada como un camote de tanto pujar. Pero ahora el doctor Meneses asegura que no hay porqué alarmarse, que es natural que me den esos mareos porque estoy creciendo y a Ricardo se le pone la cara verde de la envidia porque es medio retaco.

Lo malo es que tienen que volver a darme vitaminas y una cucharada de aceite de hígado de bacalao por las mañanas, que no me gusta tomar porque me hace vomitar y entonces la Virginia se enfurece y me grita que no le importa que me muera si eso es lo que quiero. Pero la Virginia ya se fue a Lima. Ya hace una semana que se fue y dijo que volvería pronto con la cartera llena de billetes y que de ahora en adelante le iba a cambiar la suerte porque en este mundo no hay justicia. Yo no sé de dónde irá a sacar la plata, pero eso dijo frotándose las manos, igualito que el abuelo cuando le sale un buen negocio.

La Virginia se fue con su mejor vestido, que le queda regio porque la hace parecer más joven para que todos la anden mirando por el pueblo. También se puso taco alto, se pintó las cejas y se embadurnó la boca con colorete anaranjado, y tenía la cara toda empolvada que ya no se le veían las arrugas de la frente, porque la Virginia se la pasa todo el tiempo repitiendo que la vida le ha dado muchos golpes y que por eso parece una vieja.

A la Virginia no le gustan mis mareos ni mis dolores de cabeza que ya no me dan tan a menudo, no tan seguidos como antes que me cogían en cualquier parte, en la iglesia, en el colegio y en la calle cuando menos lo esperaba y más me estaba divirtiendo con mis amigos jugando pelota o a la pega. Ahora casi siempre los tengo por la noche antes de acostarme; me vienen de repente sin ningún aviso y es como si un rayo me partiera la cabeza, porque entonces me retuerzo en la cama del dolor, sofocando con las manos mis quejidos, y si me abrigo bien y meto las manos entre las piernas, entonces se me pasan pronto y ya puedo dormirme sin tener que decirle nada a la Virginia, porque si se lo digo, entonces empieza a requintarme y sueño toda la noche con duendes y fantasmas que se bajan de un árbol y se meten en el cuarto para llevarme arrastrado al corral y me ponen en el chiquero a comer tierra como los chanchos y a revolcarme en el lodo y dar gruñidos.

Cuando me enfermo por varios días como ahora, la Virginia llama a la tía Francisca para que me cuide y entonces la tía Francisca se queda horas enteras a mi lado, sintiéndome la frente para ver si tengo fiebre, ayudándome a tomar la sopa, limpiándome la cara con un trapo húmedo y contándome historias sobre su familia cuando vivían en Cajamarca y ella estuvo a punto de casarse con un paisano de su padre, un caballero muy buenmozo, porque entonces otra hubiera sido su vida y hubiese tenido su propia casa y sus hijos, y no tendría que cuidarle la caja de caudales al abuelo ni limpiarle el culo al tío Pedro.

Eso dice la tía Francisca y dice también, entre suspiros, que ojalá yo fuese su hijo . . . La tía Francisca salió de compras al mercado y me va a traer unas naranjas, porque dice la abuela que las cáscaras de naranja cuando se hierven en salmuera son buenas para los mareos, porque me voy a curar para irme al río con Ricardo y verles la barriga inflada a las hijas de la china Chang.

Dice la abuela que es una receta de familia, y el abuelo agrega con sorna que la madre de la abuela era medio bruja y a pedradas la tuvieron que botar de Cajamarca, que andaba hechizando a medio mundo y era un hecho que la gente se moría de la noche a la mañana sin que se pudiera averiguar la causa.

Pero el abuelo es un mentiroso de lo peor y ya no le creo nada, como hace un mes que nos dijo que nos íbamos a mudar a una casa más grande que la nuestra, con balcones que daban a la calle, un desván enorme para nosotros los chicos jugar al escondite y un huerto de flores y de paltas como el que tiene el padre Chirinos en el patio de la iglesia. Pero después se la alquiló al hermano de don Fermín el ferretero, que siempre me da un real cuando le llevo un puñado de clavos oxidados que saco del fondo de la acequia y entonces lo entierro en el corral para que no se lo gaste la Virginia.

El abuelo también nos prometió una vez que nos iba a llevar a Pacasmayo para visitar a la Irma. Y yo me entusiasmé muchísimo porque creí que por fin iba a ver el mar y me iba a revolcar en la arena de la playa, que dice mi tío César que es dorada y fresca como el trigo y que brilla como el medallón de la Virgen de la Caridad cuando le cae el sol encima.

Mi tío César fue cachaco en el ejército por dos años que se fue del pueblo y ha viajado mucho y creo que hasta ha estado en Lima. Pero yo jamás voy a salir de este pueblo para ver el mar porque nadie me lleva a ningún lado, aunque el abuelo nos ha prometido que iremos a Pacasmayo el próximo año, que no puede ser ahora, porque la Irma está embarazada y prefiere que nadie la visite por eso del mal del ojo.

Solamente la Virginia puede ir a verla porque la ayuda con la limpieza de la casa y la acompaña, porque dice la abuela que el marido está de juerga en juerga todo el tiempo y la abandona. Pero la Irma no quiere volver a nuestra casa por eso del orgullo y porque dice la abuela que se le murió una hija y que ella no recibe muertos en su casa.

Cuando regrese de Lima la Virginia le voy a pedir que me lleve a Pacasmayo, porque sé que el ingeniero de Las Cruces, que tiene una cicatriz en la mejilla, se la lleva siempre en su camioneta para ir a ver el mar, y me da miedo mirarlo cara a cara, que es bien grande y hay sitio para todos, porque seguro que la Tere y el Ricardo no van a querer quedarse con las ganas.

Lo más seguro es que la Virginia me diga que todavía soy muy chico para no llevarme, que no debo faltar a la escuela o que no hay sitio para mí en la casa de la Irma. Pero yo sé que a la Virginia le gusta irse sola, como ahora que se ha ido a Lima sin decirme una palabra, porque si no fuera por la tía Francisca ni me entero, que nadie me cuenta nada en esta casa, sólo Ricardo que le gusta fregarme la paciencia y me dijo que la Virginia ya no vuelve, que se encontró un marido en Lima, y también que la vez pasada vio a mi padre en el pueblo hablando con el señor Mitrani en su tienda, porque no estaba muerto, que dice la tía Francisca que se murió en un incendio.

Pero después Ricardo me dijo que no llore, que sólo era una broma, que no sea tan cojudo porque la Virginia me va a traer un traje de lanilla azul marino y una camisa blanca de satén para mi primera comunión que es el mes que viene, que voy a ser el chico más pintón del pueblo y a ver qué dicen ahora las hijas de don Polo Miranda.

La tía Francisca dice que si después de la escuela me fuera todas las tardes a la iglesia como el padre Chirinos aconseja, desaparecerían todo mis mareos, "porque el poder de Dios es grande". Y yo se lo prometí que desde ahora todo el tiempo voy a llevar el escapulario que me dio la abuela, y en cuanto me empiecen los dolores de cabeza voy a hacer exactamente lo que me recomendó el padre Chirinos ese día que casi me desmayo en el altar durante la misa: rezar tres Padre Nuestros y un Avemaría y leer lo que dicen mis estampas de santos, que dice el padre Chirinos que fueron varones y mujeres ejemplares, como San Miguel, que aparece blandiendo una espada luminosa como la que describe el señor Mitrani los domingos para cortarnos la cabeza y que es "el ángel de la iglesia, el capitán general de las huestes del Cielo y protector del cristianismo", o como Santa Agueda con su rama de palma en una mano y una bandeja con dos senos en la otra, que fue una "heroína del cristianismo primitivo y esclava de Cristo, a quien consagró su cuerpo y alma".

Eso dice en la parte de atrás de las estampas. También dice la tía Francisca que con la primera comunión se me curan todos los mareos, porque el cuerpo de Cristo entrará en mi cuerpo, que lo tengo todo raquítico y espantará a todos los malos espíritus que me habitan, que deben ser muchísimos porque no me dejan en paz ni de día ni de noche, porque si estoy despierto me da vértigo y si me duermo entonces se aparecen en mis sueños y me despierto con sed, acalambrado y sudando.

No me gusta desmayarme porque me voy a morir sin que nadie se dé cuenta, y si solamente estoy dormido, entonces a lo mejor me entierran vivo.

"Esto debe ser cosas de judíos, porque en mi familia jamás se dieron estas enfermedades tan extrañas". Eso dice el abuelo enojado y sonándose los mocos, unas venas rojiazules salpicándole la frente.

La abuela es más comprensiva que el abuelo, pero

cuando me enfermo nunca se aparece por mi cuarto y sólo le escucho la voz en la cocina preguntándoles a mis tíos si ya me siento mejor y que cuándo me levanto de la cama, porque la casa tiene como un olor a cementerio. Y entonces me tapo los oídos con la almohada y me pongo a rezar mis oraciones en silencio, porque las palabras de la abuela hacen que se me hinche la cabeza y comienzo a escuchar unos zumbidos como los que salen del panal que hay en el patio de la iglesia, y siento unos aguijones en el cuerpo y parece que el techo se me cae encima a pedacitos como pétalos de rosas o mariposas blancas.

ALMA HEBREA: No. 6 — Junio, 1925 13

CIRCULO CULTURAL ISRAELITA

GRAN

PIC—NIC

Día 29 de junio en el

BOSQUE MATAMULA

HABRA UN VARIADO Y SELECTO PROGRAMA:

Tómbolas, rifas, carreras de encostalados, carreras de 100 metros, carreras de glotones, juegos de fuerza, carreras de 3 pies y pirámides.

PREMIOS PARA TODOS

ORQUESTA DESDE LAS 8 A. M. HASTA LAS 7 P. M.

BUFFET A PRECIOS MODICOS

Si quiere pasar un día con su familia al aire libre

NO FALTE A ESTE PASEO CAMPESTRE

LA DIRECTIVA

ALMA HEBREA: No. 6 — Junio, 1925 14

TRIBUNA LIBRE

Lima, mayo de 1925

Señor Director de "Alma Hebrea"

Estimado amigo:

Con motivo de la próxima celebración de la fiesta de "Simjat-Tora", deseo participarle que mi opinión del programa es la siguiente:

1. Himno Nacional Peruano
2. Himno Nacional Hebreo
3. Canciones y bailes infantiles
4. Una comedia en uno o dos actos, representada por grandes para chicos y en la que yo gustaría tomar parte.
5. Dar a los niños algunos detalles históricos o bíblicos sobre judaísmo.
6. Explicar a los niños la significación de esta fiesta de "Simjat-Tora".
7. Pasar una película sobre Palestina.

Sólo deseo agregar que quedo a la disposición del Comité Organizador del programa.

Atentamente,

MIRIAM ABROMOWITZ

VIII

Desde el día que conoció a Virginia, las visitas de Jacobo Lerner a la casa de los Wilson se hicieron más frecuentes. Confiado en que algo concreto y provechoso habría de resultar de las relaciones entre el judío y su hija, don Efraín hizo decorar la casa con cortinas púrpuras, mudó sus deslucidos muebles al cuarto de sus hijos y en la pieza que hasta el momento previo a la mudanza había sido de su exclusividad, hizo instalar un sillón de terciopelo azul marino para mayor comodidad de los novios.

Sólo doña Jesús no participaba de la conmoción que reinaba en esa casa donde nada llamativo había vuelto a suceder desde el día en que, con ocasión del festejo que siguió al bautizo de Virginia, se le atorara al padre Chirinos un hueso de pollo en la garganta.

"Mejor fuera emplear el dinero para comprar una pareja de cerdos", le increpó doña Jesús a su marido, cuando don Efraín, cuyo afán de deslumbrar a Jacobo Lerner había llegado al colmo de la exageración, sugirió la adquisición de un piano de cola que estaba procurando vender un hacendado de la localidad. "Los hombres de mundo como don Jacobo Lerner están acostumbrados a rodearse de objetos refinados. Aunque nos muramos de hambre, tenemos que aparentar civilidad en esta casa de porquería", le replicó don Efraín a su mujer cuando ésta le quiso hacer ver lo desarrapados que andaban sus hijos.

Para los hijos de don Efraín Wilson, Jacobo Lerner constituía un personaje fabuloso, propio de las películas de aventuras que se pasaban los sábados por la tarde en el cine Alfa. Se lo figuraban como a una especie de Conde de Montecristo, poseedor de deslumbrantes tesoros escondidos en las profundidades de la tierra, dueño de palacios encantados en reinos remotos, consumado espadachín, incansable viajero lanzado por el destino a la eterna búsqueda de aventuras prodigiosas.

Los hijos de don Efraín jamás llegaron a tener contacto directo con Jacobo Lerner. Se limitaban a observarlo por el resquicio de la puerta de uno de los dormitorios, cuchicheaban entre sí ponderándole las historias que le oían contar a Virginia, y permanecían tiesos y apretujados en su sitio, temerosos de perderse el desenlace de sus maravillosos relatos. Y Jacobo, que había descubierto la presencia de los chicos desde hacía tiempo, jamás llegó a decepcionarlos y se dedicó a desempeñar fiel y gustosamente el oficio de narrador durante sus visitas a la casa de los Wilson, donde todo era silencio ni bien ponía un pie en la puerta, porque don Efraín había ordenado expresamente que no se molestara a "don Jacobo" para nada.

Cuando se le agotaron las historias, Jacobo y Virginia comenzaron a dar largos paseos por las afueras del pueblo en la bicicleta que Edelman le había traído desde Lima por encargo suyo. La adquisición de este vehículo estimuló aún más la admiración que Jacobo había despertado en los hermanos de Virginia, a pesar de las críticas feroces a que se había hecho acreedor por parte de doña Jesús.

Don Efraín tampoco conseguía librarse de los enconados ataques de su mujer, quien después de denunciarlo como alcahuete en plena vía pública, le volvió despectivamente las espaldas. Viendo que el estado de guerra tenía para largo y que su mujer se negaba a prepararle la comida y a plancharle la ropa, don Efraín metió unas cuantas prendas de vestir en una maleta desvencijada y se pasó a la casa contigua, donde vivían sus dos hermanos solterones Pedro y Francisca.

Altos y delgados como el hermano, Pedro y Francisca cuidaban de la caja de caudales donde don Efraín depositaba diariamente sus ganancias. Pedro Wilson Rebolledo, que le llevaba un año y meses a don Efraín, era un ser enclenque y enfermizo, de voz y manos temblorosas, el rostro diminuto y arrugado, más propio de alimaña que de ser humano, y el pescuezo ligeramente ladeado hacia la izquierda del mentón, a causa de un aire recibido por salir a la calle en pleno invierno inmediatamente después de tomarse una sopa de frijoles muy caliente.

Francisca era una vieja cascarrabias, de ceño adusto, bigote incipiente, pómulos angulosos y nariz horquillada, que cuando les dirigía la palabra a sus hermanos o a sus sobrinos era para hostigarlos a fuerza de admoniciones sobre la higiene y la moral cristiana. Francisca era, pues, un adefesio de mujer y una furia desenfrenada que arremetía contra todo lo que le saliese al paso. Sin embargo, hacía una excepción. Dentro de lo que se sabía en la familia, jamás osó levantarle la voz a doña Jesús porque, como decía Francisca, "era india, y con los indios había que andarse con cuidado".

La impresión que Francisca se formó de Jacobo Lerner no era nada halagadora. Al poco rato de haberlo conocido, en conversación aparte con don Efraín, sentenció: "Es como si hubiésemos dejado entrar al diablo en casa". A pesar de que las palabras de su hermana corroboraban la opinión que tenía su mujer con respecto al judío, don Efraín no se dio por aludido. Había pasado mala noche, asediado por una figura de rostro moreno y demacrado, ojos azulados y nariz aguileña, que lucía traje de levita, sombrero de copa y zapatos de charol, tal y como solía vestirse su padre los domingos para la misa de las once.

Don Efraín no estaba seguro de lo que podía significar su sueño, pero prefirió pensar que la visita de su padre carecía de mayores consecuencias. Sin embargo, muchos años después, cuando Jacobo Lerner no fue más que una memoria, un fantasma huidizo que había pasado por Chepén, don Efraín habría de recordar las proféticas palabras de Francisca y el sueño que tuvo esa noche de diciembre.

IX

Miriam Abromowitz: Lima, Diciembre 16, 1935

¿Vendrá o no mi hermana?

Debería ir a verlo, pero no me animo, ¿y si me deja esperando como la vez pasada? La verdad es que no tenemos nada que decirnos y lo mejor es dejar las cosas como están ¿no?, al cine me iba a llevar me dijo, y me pasé toda la tarde asomada a la ventana porque ayer Moisés me dijo "debemos compadecernos de los que están al borde de la muerte", y es una cinta que me muero de las ganas de verla con Al Jolson de protagonista, y lo peor es que no sé si me lo dijo en serio o qué, porque a veces no se aparece y me quedo pensando a dónde irá, porque cómico fuera que esa Juana me haya dicho la verdad ¿no?, el caso es que me conoce bien y sabe por experiencia que no soy mujer de perdonar agravios, porque qué me importa que Sara diga que el tiempo es el mejor remedio, que entonces ¿qué hago yo que tengo que vivir de mis recuerdos?

Podría jurar que Moisés no sabe nada. ¿A qué hora dijo que empieza la película?, porque si lo supiera, no quiero ni pensarlo, si sólo sospechara lo que Jacobo se traía entre manos, entonces qué me va a pedir que vaya a verlo aunque se esté muriendo, porque ¿a quién le importa que se muera?

Extraño para esta época, pero cuánta garúa anoche, barriles y barriles de garúa, sin poder dormir toda la noche, ni siquiera cerrando las ventanas, que siempre se siente el olor a tierra húmeda y oigo crujidos de madera que me entran temblores en el cuerpo, porque hasta ahora no he visto a nadie que se duela de su suerte, parece más bien que estuviéramos echando un peso por la borda, como cuando se nos murió el rabino Weinstein que ya no podía ni abrir la sinagoga. Dicen que en Yom Kipur había que sacarlo de la cama al pobre, le fallaba la memoria y eso de morir en plena calle ¿no?

Ninguno de nosotros quiere admitirlo, ni yo se lo diría a nadie cara a cara, pero esa es la pura verdad, de todos modos ya perdimos la película y por eso de que es fin de año Moisés que demasiado ocupado con el inventario de la tienda. Sólo Sara dice que fue a verlo, pero ver para creer porque quién sabe por dónde andará metido Samuel, que no creo que fue a traerle el hijo, que eso fue lo que me dijo Sara, porque ¿para qué quiere al muchacho ahora que se está muriendo?

Mejor que se quede donde está que dijo Moisés que no era de los nuestros, y bien que la garúa limpie las calles, las deja como espejos, porque lo más probable es que Samuel vuelva para hacerse cargo del entierro, que el hijo no se lo va a traer a Lima, porque yo no pienso ir aunque toda la Colonia venga a suplicarme de rodillas. Eso sí que ya sería el colmo y se me hace que la pesadumbre de Sara es puro fingimiento porque lo lindo que se divirtió bailando hace dos noches.

Quedó preciosa la velada ¿no?. Se me acercaron al final para felicitarme porque magnífico quedó el programa, de lo mejor que hemos tenido en mucho tiempo . . . Estaba divina la Kristal con su vestido negro escotado, dijo que traído de París, collar de perlas y pulsera de diamantes, pero lo mal que declama, gangosa la voz, sin emoción los gestos y hasta le dio envidia a la Sara de verla tan radiante, porque en mitad de la actuación salió para empolvarse y no se apareció hasta que la Antonoff empezó a tocar el piano.

Y en el baile ni una sola palabra sobre el estado de Jacobo, que tampoco estábamos para hablar de cosas tristes ni para romper el encantador ambiente que a nuestro alrededor reinaba ¿no?, en ese momento ¿quién iba a acordarse de Jacobo?, porque Jacobo jamás supo ganarse el amor de nadie y sólo Dios sabe la humillación y la vergüenza que me hizo sufrir. Y ni siquiera tener la decencia de decirme que no va a venir, que me busque ella que yo no, no se vaya a creer que vivo pendiente de sus actos, que me aseguré bien que nadie se enterara de las maquinaciones de Jacobo, porque la verdad me callé la boca por mi hermana que ni ella estaba al tanto de sus planes, pero ¿cómo iba a estarlo si siempre vio en Jacobo al ángel protector de su familia?

Que venga para decírselo ahora mismo que ya no me aguanto más este secreto, aunque es bonito que la garúa limpie las calles. Dicen que la arena la trae el viento del desierto y por la noche va alfombrando la ciudad y todo es blanco, que parece un cementerio, no como Viena que es siempre azul no sé por qué será, por el Danubio que no por otra cosa ¿no?, porque no me gusta el olor a tierra húmeda, pero qué bien que nos libre de la arena, porque Lima es un gran reloj de arena y el tiempo se rompe en pedacitos.

Las maravillas que están haciendo en Palestina, sacan flores del fondo de la arena y todo el país es un enorme paraíso, porque recién ahora vengo a darme cuenta que Jacobo se quiso hacer pasar por mosca muerta y por debajo una hormiguita ¿no?, tramando los pensamientos más infames que nadie se pueda imaginar, porque a Moisés no se lo digo que se había enamorado de la Sara, no solamente eso sino más, ya se lo dije una vez y se lo diría de nuevo de presentarse la ocasión, porque son bajezas que no se le pueden pedir a una mujer decente como yo, y eso que me mostré dispuesta a serle una buena esposa, pero bajo esas condiciones degradantes no, que a mí no me encontró toda despatarrada en la calle como a esa Juana. Pobre y desamparada sí, pero yo también tengo mi orgullo y hasta mi propia vida, por eso Sara que no venga si no le da la gana. . .

¿Llorar yo?, eso quisieran, las lágrimas me las he aguantado desde que se me murió Daniel, porque qué voy a estar yo para ponerme a lloriquear como una niña cuando todo mi tiempo se lo dedico al bienestar de la Colonia y si no, que vean el programa que he preparado solita para la actuación de este domingo. Las horas que me he pasado dirigiendo el coro, diseñando los vestidos y ¿todo para qué? ¿Para que todo el mundo se siga riendo de mí a mis espaldas? Porque ¿qué hubiera pensado la Colonia si hubiese aceptado la oferta de Jacobo? Bastante sufrimiento me prodigaron ya cuando murió mi pobre esposo, ¿por qué será que no para de caer esta garúa? . . . y yo no iba a ser tan boba como para caer otra vez en la misma trampa.

Ahora que digan lo que quieran, que llegado el momento supe comportarme como una verdadera dama, ya no me importa que no me inviten a sus casas ni que no me hayan elegido para la directiva de la Sociedad de Damas, ni que se vayan de viaje a Europa ni que quieran impresionarme con sus joyas.

Estaba divina la Kristal y Sara se moría de la envidia, mucha ostentación eso sí que nunca falta, pero nada en pro de la vida cultural de la Colonia, muy de sus casas sí, muy de sus hijos sí, buenas esposas seguro, pero de lo otro nada, sólo la Kristal y otras cuantas ¿no?, porque eso de dar papeles de mujer a los hombres porque las señoras no quieren participar en nuestras actuaciones, eso ya es el colmo, para los japoneses sí, para nosotros no, porque ¿hay algo más ridículo?

Si me lo pidieran yo actuaría gustosa en esos dramas porque talento no me falta, pero de aquí a que me lo pidan. . .

Lo que es yo sigo sin arrepentirme de mis actos, hace tiempo que vivo resignada con mi suerte, ¿no habría sido mil veces peor haberme casado con Jacobo Lerner?, porque lo que sentía por Jacobo no era amor, que se me extinguió con la muerte de Daniel, pero ¿acaso no estaba dispuesta a respetarlo y a cuidarle debidamente su casa como debe ser?

Imposible fundar un hogar basado en la desconfianza, el engaño, el odio, un odio bien disimulado es cierto, pero a fin de cuentas odio. ¿Qué se habrá hecho de la Sara?, que no me pienso quedar aquí toda la tarde a esperarla; yo también tengo mis cosas ¿no? y esta garúa que nunca acaba de caer, igual que cuando Jacobo vino a proponerme matrimonio. Yo ya estaba preparada para la noticia, que Sara lo arregló todo de antemano y eso me dio tiempo para arreglar mis pensamientos y me pasé toda la noche pensado en Daniel y en lo que él habría dicho si hubiera estado vivo, porque seguro que se me volvía a morir de la impresión.

Para Daniel Jacobo nunca pasó de ser un pobre diablo. Pero ¿tal vez habría comprendido mi situación y aceptado mi boda con Jacobo?

Como si fuera hoy recuerdo el día que se presentó Jacobo en mi casa: amaneció nublado y me acordé de Daniel y por un momento fugaz el sol rasgó el espesor de las nubes y envió a la tierra sus rayos dorados que llegaron hasta mi corazón y una honda nostalgia se apoderó de mí y me acordé de los felices años pasados y revivió en mi recuerdo un bello día de verano, lleno de sol, de alegría, de ansias de vivir . . . me acordé de Daniel y un fuerte deseo de verlo otra vez cerca de mí me abrazó y un profundo anhelo de vagar otra vez con él a solas, entre hileras de árboles con ramas floridas por donde no se oía más que el murmullo del viento, pero el tiempo se me había roto en pedacitos y seguía cayendo siempre la garúa y nada de eso podía esperarme al lado de Jacobo.

¿Dónde se habrá metido la Sara en esta lluvia?, que venga a buscarme ella que yo no, porque hasta tuvo que decirle cómo debía proponerme, que Jacobo siempre ha sido un poco tímido y ese día se presentó todo acicalado, con un ramo de rosas en la mano y como que me dio mucha pena verlo balbuceando como un adolescente para simplemente preguntarme si quería ser su esposa. . .

La verdad y no me hice de rogar porque bien pensado Sara tenía la razón y Jacobo era un buen partido, claro que no me gustaba nada cómo se ganaba su dinero, pero ¿quién era yo para meterme en sus asuntos? De buenmozo no tenía un pelo, excepto los ojos, negro azabache ¿no?, pero no tenía vicios, sobre todo eso, que el vicio destruyó a mi pobre esposo a quien quise con toda el alma, pero mi amor no bastó para apartarlo del camino que lo llevó a la perdición, porque cuando esa noche perdió todo su dinero jugando al póker en la Unión, entonces no vio otra salida que el suicidio ¿no?, y me dejó sepultada en la miseria, convertida en la hazmerreír de la Colonia. Las malas lenguas ¿qué dijeron?, que Daniel me puso sobre la mesa de juego como apuesta, eso dijeron después de jugarse la tienda. . .

Pero ¿qué voy a hacerles caso a esos envidiosos? Me consta que tú no hubieses sido capaz de tal infamia, Daniel. La verdad todavía no me explico cómo Moisés no impidió que se jugara la camisa. Esa misma noche me llamó desde el hospital y nadie pudo explicarme bien cómo sucedieron las cosas. Moisés me hizo una relación totalmente incoherente de los hechos. Sara se la pasó llorando todo el tiempo que estuvimos en el hospital y Jacobo que no sé por qué había acudido al llamado de mi hermana no estaba enterado de los pormenores de la tragedia.

¿Lo que más me impresionó esa noche? No poderle reconocer la cara a mi marido, que la tenía hecha un asco, bien desfigurada ¿no?

Y esa noche me regresé a casa con Jacobo con la sensación de que el cadáver que había dejado en el hospital no era el de mi esposo y me pasé toda la noche esperándolo. . .

Cuando amaneció recién me convencí que Daniel estaba muerto y todavía no comprendo por qué le fue tan traicionera la fortuna, porque Daniel jamás le hizo daño a nadie y a ver si viene de una vez la Sara, que si no me voy al cine sola y hay que ver lo que es la vida, solo se viene al Perú y aquí trabaja y se enfrenta con tesón al nuevo medio, ¿todo para qué? ¿para venir a morirse como un perro?

En este mundo no hay justicia ¿no?, porque esa noche el tiempo se me rompió en pedacitos, retazos por aquí, retazos por allá. . . y luego Moisés que viene al mediodía para llevarme al cementerio, cuatro gatos; lo enterramos en la parte de atrás y no había ni una tumba ni un puñado de grama para descansar los ojos . . . y le pregunté a Moisés por qué no enterraban a Daniel con los otros y él "no te preocupes, Miriam, cosas del rabino; deja que pase un tiempo y ya veremos", y ahí descansa todavía el cuerpo de Daniel todo solito, que dijo la Sara "su tumba parece una islita", la vez que fuimos a ponerle lápida; no vi a Jacobo hasta el momento que Sara me tomó del brazo y empezamos a alejarnos de la tumba de mi esposo, y se me acercó a darme otra vez el pésame, con los zapatos embarrados de tierra, parecía que era él y no Daniel a quien habían enterrado ¿no?, y me dio pena haber pensado eso, porque la verdad Jacobo tenía los ojos inflamados y me acompañó a la casa. . .

Pero si al menos la Sara viniera; nunca viene porque siempre está muy ocupada, que no es que tenga miedo de quedarme sola; esa noche sí que supe lo que es la soledad; tuve las visiones más horribles y veía podrirse el cadáver de Daniel y le veía la sangre en la cara y los gusanos que se salían de la caja y se colaban por las ranuras de la puerta y se trepaban por el pasamanos y se metían en mi cuarto y se subían a la cama y yo queriéndome escapar por la ventana, que no era ningún intento de suicidio como se lo creyó mi hermana, eran los gusanos que se habían adueñado de mi casa y por eso tuve que mudarme ¿no?, por eso y porque no tenía plata, que cuando se murió Daniel, cuando se pegó un tiro en la sién no quedaba dinero ni para enterrarlo. Menos mal que Moisés corrió con los gastos del entierro, si no, no sé qué habría hecho con el cuerpo, quizás vender los muebles de la casa, pero eso hubiera sido en caso extremo.

Y pensar que estuve a punto de casarme con Jacobo, ¡nada menos que con Jacobo Lerner!, que lo conocí casi al mismo tiempo que a Daniel, en la pensión de la condesa, con su camisa de franela a cuadros y su gorrita negra, escabulléndose Jacobo mosca muerta de todos nosotros, casi ni me dirigía la palabra, sólo para preguntarme sobre los planes de Moisés que ya estaba pensando casarse con mi hermana, huraño, nada le interesaba excepto su trabajo, salía con su maleta temprano antes de que estuviera en pie el resto de la casa y no se aparecía hasta muy tarde por la noche, arrastrando los pies, cabeza gacha, Jacobo mosca muerta ¿no?

Nosotros nos reuníamos en la sala para tomarnos unas copas, bailar o jugarnos unas partidas de cuncán, pero Jacobo se encerraba en su cuarto, aunque nunca me preocupé mucho de las costumbres de Jacobo, porque la verdad no me interesaba en absoluto, pero tampoco me mofaba de él como lo hacían a diario los demás, con sus burlas, con sus bromas. ¿El caso es que Jacobo siempre me ha dado lástima, también ahora, por eso de su soledad y su abandono. . .

Pero ¿quién iba a imaginarse que con el tiempo abriría un prostíbulo?, porque lo que haga Jacobo me tiene sin cuidado, pero lo que quiso hacer comigo eso sí que no se lo perdono, un dineral debe haber sacado de esa casa ¿no?

¿A la Sara se lo va a dejar?, si fuera yo no tocaría ni un centavo, dinero sucio es lo que es, pero seguro se lo deja al hijo. Bien me vendría a mí esa plata salir de la miseria en que vivo, que si no fuera por Moisés entonces . . . porque qué extraño que Jacobo sea tan diferente de su hermano ¿no?, tan simpático Moisés, tan parlanchín, tan amigo de las fiestas, podía estarse toda la noche bailando valses y polcas, sus favoritas, que dice que le traen gratos recuerdos de su vida en Minsk.

Nada tenía mi pobre Daniel que envidiarle a Moisés, lo aventajaba en don de gentes, porque, Dios, ese talento que tenía para hacer que una se sintiera a su lado como una reina, y si Daniel estuviese vivo a lo mejor él y no Moisés sería hoy presidente de la Unión y yo y no mi hermana estaría al frente de la Sociedad de Damas. No es que tenga nada en contra de Moisés, lo poco que tengo se lo debo a él, porque ¿quién no habla de Moisés con gratitud y afecto?

La verdad no comprendo por qué Daniel se suicidó, Moisés me dijo que él podría haberlo sacado de sus deudas, pero el muy tonto de Daniel siempre fue más impulsivo que otra cosa, el día de la boda de mi hermana se apareció en mi cuarto y me propuso matrimonio y nos casamos ese mismo día ante la sorpresa de todos los presentes. Su suicidio también fue una sorpresa ¿no?, me abandonó a merced de los gusanos;

los había de todos los colores, verdes con puntitos rojos, azules con rayas amarillas y avanzaban pegaditos como una alfombra por la casa, pero eso sí nuestro primer año de casados fue encantador. Después de la luna de miel claveles todos los días, cine todas las semanas, cenas en los mejores restaurantes y yo sin preguntarle de dónde sacaba la plata para tantas diversiones, porque parece que la suerte sólo le duró un año, que "si te hubieras puesto un solo momento a pensar habrías descubierto a tiempo que tu marido ya estaba enviciado por el juego", me amonestó mi hermana el día del entierro.

Ya son las cinco y seguro que Sara me dejó plantada ¿no?, pero después dejamos de ir al cine y ya no llevábamos una vida de ricos como antes y eso que Daniel sólo tenía su tienda en el Mercado Central como Moisés, y yo veía que mi hermana no se daba esos lujos. . . Y todo por seguir los consejos de la Sara. ¿Quién la mandó entrometerse en mis asuntos?, porque para mí Jacobo siempre fue un misterio.

¿Por qué se fue de Lima la segunda vez? Porque es una calumnia que tuvo líos de plata con Moisés ¿no?, y volvió peor que antes, más cerrado. Jamás nos hemos cruzado más de dos palabras. Esa noche del suicidio, de regreso a casa, en el taxi me dijo "parece mentira que las cosas sean como son", vaya una a saber lo que me quiso decir con eso ¿no?

La próxima vez que nos vimos fue en casa de mi hermana, lindo el *seder* . . . que tuvimos, y Jacobo no dijo nada en toda la noche, como que se sentía muy incómodo, rodeado más bien por extraños que en familia, y ese brillo tan raro que le salía de los ojos, clavados los tenía con fuerza en Moisés, y él ni se daba cuenta, con qué tranquilidad rezaba, cuánta felicidad en esa casa, pero sus pupilas despedían reproches indescifrables, llenas de odio, el mismo odio que debió sentir por mí cuando le dije que había decidido cancelar la boda, porque ¿cómo iba yo a imaginarme lo que iba a ocurrir después?

Bonita la calle con las luces encendidas; los carros pasan como cometas dejando estelas de luz roja. . . ¿ a lo mejor a Sara la llamaron del hospital?. Ella hizo todos los arreglos y entonces comencé a verme con Jacobo todos los domingos en casa de Moisés, para complacer a Sara y no por otra cosa: jamás se me cruzó por la cabeza casarme con Jacobo. . .

¿Con qué derecho vino Sara a convencerme de que me casara con Jacobo?

Pero al principio la idea no te pareció del todo mala ¿no?, sí, pero bonita compañía habría sido él que nunca te sacó a bailar ni te llevó al cine en todo el año que te estuvo cortejando. Y yo me preguntaba qué tendría ese hombre en la cabeza, incluso pensé que se había vuelto loco, como cuando lo internaron en el sanatorio y también hace poco cuando quiso que toda la Colonia se congregara en la sinagoga para conmemorar el aniversario de la muerte de un tal Mitrani: a Dios gracias Sara logró disuadirlo porque ¿qué hubiera pensado la Colonia?.

Pero con su locura y todo estabas dispuesta a ser su esposa ¿no? Sí, pero me iba a casar con él por conveniencia, que cuando se murió Daniel la Colonia te cerró sus puertas ¿no? Sí, y había que ver cómo cuchicheaban a mis espaldas quién sabe qué cosas. . . y ni una palabra sobre la muerte de tu esposo ¿no? Sí, y ni siquiera una notita en la revista. . . que la muerte de Daniel Abromowitz, desaparecido en plena flor de la vida, ha sumido a la Colonia en la más honda tristeza. . . y embargada por el dolor acompañó nuestra Colectividad los restos venerados del amigo querido a su última morada. . . deja nuestro querido amigo una estrella imborrable de virtud y bondad y queda un hogar truncado, una esposa desconsolada que clama por el esposo que ya no volverá. . .

Y si no hubiese sido por Moisés seguro que te morías de hambre ¿no? Sí, que ni los amigos de mi difunto padre me ayudaron, pero a Sara sí la hubieran ayudado, que se quedó a vivir con él como buena hija de familia y yo me hospedé en la pensión de la condesa porque ya estaba grandecita.

Cuando murió mi esposo pareció que el tiempo se me había roto en pedacitos y me mudé al Jirón Huaraz mientras todas mis amigas se estaban comprando casas propias y por eso mi única salvación era Jacobo. Pero cuando esa mujerzuela vino a verte, entonces te diste cuenta de la dolorosa realidad de las cosas ¿no?

Y pensar que sólo faltaba un día para la boda cuando esa zamba puta vino a ponerme al "corriente" de las cosas, que es irreprimible el dolor que me causa recordar las barbaridades que me dijo y por más que trato tampoco puedo olvidarlas, y ahora sí que de verdad se hizo tarde y seguro que la Sara ya no viene, porque me dijo que hacía años que Sara y Jacobo se veían en secreto, con la mayor desfachatez del mundo me lo dijo y que se casaba conmigo para hacerse la ilusión de que se estaba casando con mi hermana ¿no?, porque ella había sido su querida desde hacía cinco años y que se seguirían viendo después de la boda, que nosotras no éramos mujeres de verdad, sólo maniquís para ser exhibidas con encajes y abalorios y no para meternos en la cama. . . y esto sí que ya fue el colmo, Jacobo me iba a exigir que me hiciera cargo del burdel. ¿Cómo le iba a contar nada de esto a mi hermana? Se me caía la cara de vergüenza, y cuando Sara me preguntó por qué había decidido cancelar la boda, simplemente le contesté que no lo amaba y no podía mancillar de tal modo la memoria de Daniel, esposo ejemplar, hombre de bien, no como Jacobo Lerner que quiso aprovecharse de mi buena voluntad.

Y ahora que Jacobo está a punto de morirse ¿qué sentido tiene ponerme a dar explicaciones?

Sólo queda que mañana Sara me traiga la noticia, seguro ya se lo han llevado al hospital y por eso Sara no ha venido a verme, porque si al menos Samuel volviera a interesarse en mí a lo mejor quién sabe si ¿no?. . .

¡Y pensar en los trajines que pasé!, infinidad de ensayos para la ceremonia, miles de visitas al taller de la modista, interminables conversaciones con el rabino sobre las responsabilidades de la mujer judía, y ni hablar de la vergüenza que pasé durante la ablución el día antes de la boda. . .

Me arrepiento ahora de haber invitado a toda la Colonia, vergüenza me da haber encargado esas invitaciones tan guachafas con nuestros nombres grabados en letras góticas y ese marco con adornos de oro. Pero ese mismo día que me vino a ver la Juana llamé a Jacobo para hacerle saber mi determinación, que ya empieza a hacer un poco más de fresco y fuera mejor que cierre la ventana porque la Sara ya no viene ¿no?, y ni sus súplicas ni sus amenazas me hicieron cambiar de opinión y lo eché a empujones de mi casa, y no fue hasta más tarde, cuando la Sara dejó de molestarme con sus preguntas y cesaron los comentarios de nuestra frustrada boda, que tuve el tiempo y la tranquilidad necesaria para llegar al fondo de las motivaciones de Jacobo.

Por eso es que ayer le respondí a Moisés que lo mejor es dejar las cosas como están ¿no?

X

Jacobo Lerner dejó de abrir la tienda para el público desde el día que decidió marcharse de Chepén. Tal y como lo había imaginado, Virginia guardaría el secreto de su embarazo. Por tanto, no tendría que sufrir las zalamerías de don Efraín ni afrontar la cólera de doña Jesús. La tienda se la traspasaría a don Manuel Polo Miranda, quien ya había acordado pagarle en efectivo. Sin embargo, antes de arribar a la decisión de abandonar el pueblo, Jacobo había consultado sus planes con León Mitrani, quien, sin andarse por las ramas, le planteó dos alternativas. O se quedaba en Chepén a fundar un hogar y a hacer familia o se regresaba inmediatamente a Lima antes de que fuera demasiado tarde.

Mitrani, que no deseaba perder la compañía de su amigo, favorecía la primera solución. "Te estás poniendo viejo y ya es hora de que pienses en sentar cabeza", fue lo que Mitrani aconsejó a Jacobo, quien le replicó fríamente que la idea de casarse con Virginia Wilson y radicarse permanentemente en Chepén no lo entusiasmaba en lo más mínimo. Lo que se calló, acaso por compasión o por temor de desatar la furia de su interlocutor, fue que a él no le hubiera gustado verse en la misma situación en que se hallaba Mitrani: atado a una mujer supersticiosa e ignorante que lo había amenazado de muerte, considerado por la gente del pueblo como una atracción de circo a causa de sus extravagancias, abandonado por los que antiguamente se llamaban sus amigos y asediado continuamente por el cura para que se convirtiera al cristianismo.

Jacobo Lerner, que había venido a Chepén con el único propósito de hacer dinero, no iba a permitir que el azar desbaratara sus ilusiones, que, bien miradas, le parecían extraordinariamente prácticas. A partir de su segundo año de residencia en Chepén, aún después de haber conocido a Virginia, Jacobo se propuso seguir los pasos de su hermano Moisés. Quería casarse con una judía, tener varios hijos, vivir en la capital rodeado de todas las comodidades que pudiera brindarle el dinero, frecuentar la sinagoga con sus amigos, conmemorar en unión de su familia las fiestas religiosas y asistir a la *bar mitzva* de sus hijos. Este proyectado orden de cosas representaba para Jacobo Lerner una firme apoyatura moral, imprescindible para sobrevivir en un país cuyas formas de vida le resultaban sumamente extrañas. Quedarse en Chepén significaba romper con el orden tradicional de su familia y de su raza, para dejarse caer sumisamente en el caos.

"Aquí me moriré, le había respondido Mitrani cuando Jacobo le propuso que se marcharan juntos a la capital. Entonces Jacobo Lerner comprendió que el caos ya había hecho fondo en el espíritu de su amigo y se dijo, con tono convincente, que para él Chepén no podía representar otra cosa que una escala más en el itinerario de su vida. Ya le había escrito a Moisés comunicándole que llegaría a Lima para fines de julio, que era cuando se efectuaría el traspaso.

A don Efraín Wilson, que había mostrado gran interés en adquirir su tienda, pero que no estaba dispuesto a desembolsar la suma exigida, Jacobo Lerner le confió que, dada la imposibilidad de hacerse rico quedándose a cargo de una tienda de abarrotes por el resto de sus días, viajaba a Lima para comprarle al gobierno las tierras que colindaban con el ingenio Santa Fe. Le prometió que a su regreso lo haría socio de su empresa, la cual consistiría en plantar tres hectáreas de caña de azúcar para abastecer un tercio de la producción azucarera del ingenio. Jacobo Lerner le rogó a don Efraín que guardara absoluta reserva sobre sus planes, porque de su discreción dependía el éxito o el fracaso del proyecto. Invocando el nombre de su difunto padre, don Efraín pronunció un solemne juramento y le aseguró, con ademán dramático, que sus labios permanecerían sellados como una tumba.

Conoció al padre Chirinos en casa de don Pablo Morales Santisteban, una noche en que un reducido grupo de vecinos se reunieron para festejar el cumpleaños de la mujer del alcalde. Al verlo, Jacobo Lerner se dijo que la apariencia del cura correspondía perfectamente a su profesión. Era un hombre alto y estirado, de facciones escuálidas, ojos febriles, manos largas y delgadas como las de una dama de alta alcurnia, rostro pulcramente afeitado, sotana impecable y exageradamente almidonada.

Esa noche, el padre Chirinos, que poseía un hablar sosegado y convincente, acaparó la conversación y se explayó largamente sobre diversos temas del Antiguo Testamento con objeto de impresionar a Jacobo Lerner con su vasta erudición. Sin embargo, las palabras del cura no lograron deslumbrar a Jacobo, quien, habituado por influencia de su padre a respetar las autoridades tanto civiles como religiosas, prefirió no interrumpir la alocución del cura, pese a que la consideró repleta de datos equivocados y juicios infundados.

El resto de la concurrencia atendía al cura embobada y había que ver cómo el padre Chirinos se pavoneaba meneando coquetamente la cabeza y entornando los párpados, como si se viera invadido por una gloriosa sensación de éxtasis. Puso fin a su discurso cuando se empezó a servir la cena. Para beneficio del judío, la señora del alcalde iba mencionando los nombres de los suculentos platos a medida que la sirvienta los colocaba sobre la mesa.

Jacobo, que nunca había probado esos manjares, porque en el hotel se limitaba a pedir lo que le parecía menos ofensivo para la salud o el decoro, se sirvió una pequeña porción de cada plato para no desairar a su anfitriona. Durante la cena se habló del clima y de las costumbres de Chepén, de cuándo y cómo se fundó el caserío original, de quienes fueron sus primeros pobladores y de la reconstrucción del pueblo después del terremoto de 1920. La señora de Morales, que no era oriunda de Chepén, intervino en la conversación para describirles el estilo de la vida de Chiclayo y para contarles que entre sus antepasados figuraba un capitán español que había venido al Perú con las huestes de Pizarro.

Cuando se sirvió el postre, le rogaron a Jacobo Lerner que les relatara algunas incidencias de su vida en Rusia. Y Jacobo les contó sus peripecias durante la guerra, les pintó una vívida imagen de la sinagoga de su pueblo, les habló del Dniéper, tan ancho y profundo que era navegable, del molino que tenía su padre a la orilla del río, de cómo tuvo que atravesar todo un bosque a pie durante la noche evadiendo las patrullas fronterizas, de cómo trabajó de barrendero en Alemania para ganarse la vida y, finalmente, de cómo llegó al Perú una noche del año veintiuno, a bordo del vapor *Reina del Pacífico*. Jacobo se cuidó de no mencionar el nombre de León Mitrani, pues no le pareció oportuno darlo a conocer como un amigo de la infancia. "Vine a Chepén por consejo de Samuel Edelman y aquí conocí a León Mitrani", contestó Jacobo cuando el padre Chirinos le preguntó si conocía a Mitrani desde Rusia.

Después de la cena los comensales pasaron a la sala. La conversación iniciada por el cura durante la cena fue reanudada por don Pablo Morales, hombre corcovado de pecho y espalda, estatura poco menos que mediana, testa gallinácea y rostro reducido a una perenne expresión inquisitiva. Con la excepción del padre Chirinos, que había estudiado en el seminario de Trujillo, el alcalde pasaba por el hombre más instruido del pueblo y no cejaba de vanagloriarse de su extensa colección de clásicos españoles. Y Jacobo Lerner, que nunca había leído nada en español, salvo el periódico y un catálogo de telas que le mandaba desde Lima la casa Lester, se sentía maravillado con la conversación de don Pablo Morales. Sin embargo, hacía lo posible por no darlo a demostrar ya que había resuelto desempeñar plenamente su papel de hombre de mundo.

Haciendo alarde de sus vastos conocimientos literarios e históricos, el alcalde lo enteró sobre la vida de los judíos en la Edad Media española, el destierro ocurrido en 1492 por orden de los Reyes Católicos y la extraordinaria contribución de los marranos en el plano financiero, cultural y político de la nación. "Otra hubiera sido la historia de España de no haberse efectuado la expulsión ni la persecución de los judíos", comentó categóricamente el alcalde.

Como deseaba dar la impresión de que estaba al tanto de las consecuencias históricas planteadas por el alcalde, Jacobo agregó que eso mismo, aunque substanciado con copiosas cifras estadísticas, fechas y nombres de personajes y lugares, le había oído mencionar a su maestro en Staraya Ushitza. Lo cierto era que Jacobo Lerner sabía muy poco de aquello que no estuviese relacionado con la Biblia o el Talmud. Sus conocimientos de historia se reducían a uno que otro capítulo de la Rusia zarista, que había aprendido mediante la lectura de novelistas judíos y las pláticas con León Mitrani. Jamás se hubiera imaginado Jacobo que existieran judíos en España durante la Edad Media y no tenía la más remota idea de quienes eran los Reyes Católicos ni lo que significaba la palabra marrano.

"Ustedes son una raza muy unida —continuó diciendo el alcalde. Y esto lo sé por experiencia; en Chiclayo conocí hace algunos años a un tal Marcos Gleizer, que luego de la muerte de un paisano suyo amparó a la viuda y a los hijos del difunto en su propia casa. Después oí decir que Gleizer y la viuda acabaron casándose, pero eso no quiere decir nada. Lo que realmente cuenta es ese instinto de mutua protección que poseen los de su raza. Créame, don Jacobo, que esto que le acabo de contar jamás se daría entre cristianos. Y no porque nos falte expíritu caritativo, sino que simplemente no estamos acostumbrados a socorrernos los unos a los otros".

Un tanto contrariado con el relato de don Pablo Morales, quien parecía recalcarle maliciosamente las palabras, Jacobo Lerner pensó que abandonar a León Mitrani sumido en su locura, significaba una ruptura irreparable con las reglas de la entrañable amistad que los había mantenido unidos durante tanto tiempo. Pensó, también, que bastaría que Mitrani aceptara acompañarlo a Lima para poder dedicarse a disfrutar plenamente del corto tiempo que le quedaba en Chepén.

Cuando el alcalde finalizó su charla, su mujer se sentó al piano para regalar a los invitados con una de sus interpretaciones favoritas: el "Claro de luna" de Beethoven. Sin prestar atención a los acordes de la música, Jacobo se arrellanó en el sillón de felpa y se quedó pensando en el embarazo de Virginia, en la figura achacosa de León Mitrani y en los planes que se había forjado para iniciar una nueva vida en Lima.

Crónicas: 1925

El día 23 de julio, entre las diez y las doce de la mañana, Moisés Lerner se muda a una casa de la Avenida Petit Thouars con su mujer y su hijo.

Jacobo Lerner se apea del ómnibus que lo trae de Chepén en el Parque Universitario. Al ver a sus paisanos apostados alrededor de la Torre del Reloj, vestidos con gabanes negros y sombreros de fieltro, Jacobo recuerda sus años de mercachifle en la capital. Mientras cruza a largos trancos el Parque, se dice que nunca más, aunque se vea hundido en la más ruin de las miserias, volverá a ejercer ese oficio. Se encamina hacia el Mercado Central, donde queda la tienda de su hermano Moisés. Cuando llega a la esquina de Abancay y Junín, le pide a un transeúnte que le indique el camino. Rodea la manzana y desemboca en el Jirón Huánuco. Hacia la mitad de la cuadra queda el establecimiento de su hermano: la puerta de metal está sujeta a la vereda por dos enormes candados. Jacobo entra en el almacén contiguo para inquirir sobre las señas de Moisés. El dueño del almacén, un hombre regordete y de ojos aceitosos, le asegura que no anda perdido, que en efecto ésa es la tienda de don Moisés Lerner, que ya hace más de una semana que no abre y que no sabe lo que pueda haber pasado.

Jacobo sale a la calle, descansa la maleta en la vereda y se sienta a esperar en el sardinel. Recuerda la última carta de Moisés, donde le comunica que el nogocio le marcha a las mil maravillas, que está pensando abrir una zapatería para damas en la calle Camaná y que el dinero de que dispone Jacobo es más que suficiente para instalar un buen negocio en sociedad.

Hacia el mediodía, Jacobo se pone de pie, toma su maleta y se dirige hacia la Plaza de Armas. Como no sabe la dirección de la casa de Moisés, decide pasar por la pensión de Jesús María. Toma el ómnibus en la calle Cuzco y luego de un trayecto lleno de baches y de frenadas en seco, que dura entre veinticinco y treinta minutos, se baja en la calle Sinchi Roca, donde al final de la cuadra queda la pensión de Madame Chernigov.

Con la ayuda de su mujer, Samuel Edelman escribe una carta desde Chiclayo, dirigida al director de la revista *Alma Hebrea.* El texto de la carta reza así:

Chiclayo, julio de 1925

Sr. Director de la Revista "Alma Hebrea"
Mi buen amigo:

Habiendo recibido el pasado número de su revista, he tenido gran interés en leer todos sus artículos y hasta los avisos. Imagínese, usted, señor Director, el asombro mío al ver que entre los avisos faltaban los de las casas judías más fuertes de la capital.

Confieso que no creía que alguna vez podían faltar los avisos de estos señores, que siempre hacen negocio con la Colonia, y para quienes el gasto de un aviso no constituye una gran cosa. ¿Acaso no se dan cuenta estos señores que ellos están en la obligación de proteger a una revista judía como "Alma Hebrea"? ¿Acaso no comprenden ellos que un comerciante no judío se da cuenta al momento que faltan los avisos de ellos que son judíos, y dan así motivo para creer que ellos proceden así por avaricia, por no querer gastar unos soles al mes?

Confieso que para mí el caso es inexplicable en absoluto y me causa un sentimiento de dolor y de vergüenza por algunos de mis correligionarios.

Sin más, le saluda su amigo y S.S.

SAMUEL EDELMAN

Con motivo de las Fiestas Patrias, se efectúa una Velada-Danzant, ofrecida por la Sociedad de Damas Israelitas. La fiesta obtiene un éxito resonante y se prolonga hasta las primeras horas de la madrugada.

SOBRE LOS JUDIOS EN EL PERU

De seis a ocho años a esta parte es muy grande la quantidad de judíos que han entrado en este reyno del Perú por Nueva España, Nuevo Reyno y Puerto Velo. Estaba esta ciudad cuajada de ellos, muchos casados y los más solteros. Habíanse hecho señores del comercio; la calle que llaman de los Mercaderes era casi suia; el callejón todo y los cajones los más; herbían por las calles vendiendo con petacas a la manera que los lenceros en esa Corte. Todos los más carrillos de la plaza eran suios; y de tal manera se habían señoreado del trato de la mercancía, que desde el brocado al saial, y desde el diamante al comino, todo corría por sus manos. El castellano que no tenía por compañero de tienda a judío, le parecía no había de tener succeso bueno.

ALFONSO DE ALCAYAGA, 1636

PAGINA LITERARIA

Nuestro amigo, don Mauricio Gleizer, en este su primer intento literario, pretende reflejar un aspecto de la vida del recién llegado al Perú, con sus penas y dolores... Trata el autor un caso de tantos de un hombre culto y de fina sensibilidad en su lucha por la vida y en su dificultosa adaptación al nuevo medio. — Red.

CARGANDO

—Compre, señora, barato.

—¡No, hoy no!

Y la puerta se cierra violentamente ante el joven vendedor que carga un paquete de mercaderías sobre el hombro. Silenciosamente se aleja de la puerta, abatido por el hostil recibimiento. Antes le pasó lo mismo en la casa anterior y ¿quién sabe cuántas puertas se cerrarán ante él, en este día y en la misma forma? ¿Por qué este desprecio y este odio? ¿Acaso no es él un hombre como ellos? ¿Acaso carece él de un corazón noble y bueno que sabe sentir el dolor ajeno? ¿Acaso no es él capaz de defender, hasta con su sangre, el suelo de este país, su segunda patria? ¿Por qué, entonces, se le tiene por paria, por un ser despreciable? ¿Por qué no se dan cuenta esas señoras que bajo esa camisa, a veces sucia, también late un corazón humano, digno de más respeto y de mayor consideración?

A veces, en las noches de insomnio, echado en su lecho, con los ojos cerrados, piensa en el pasado, la infancia, la vieja casona, la madre cariñosa, alegrías y contrariedades de un niño. . . después el colegio, los exámenes anuales con sus temores e incertidumbres. . . después agradables vacaciones, largos paseos y excursiones campestres en compañía de amigos y amigas. . . luego el último año de estudios, ya puede hacerse hombre independiente, perfeccionar sus conocimientos para ser un miembro útil de la sociedad. . . pero, ¡el cruel destino!, hay que emigrar. . . pero, ¡Dios mío!, ¿qué es lo que está pasando? ¿Acaso el hombre que atraviesa el océano cambia tanto? Allá gozaba de todas las consideraciones y del respeto de los demás y nadie rehuía su compañía, ¿y acá? ¡Tanto desprecio y tantas ofensas! Y uno tiene que aguantar, soportar todo y callar. . .

DR. JULIUS METZKER
DE LA UNIVERSIDAD DE BERLÍN

Especialista: pulmón, estómago, vías urinarias, afecciones de los huesos, gonorreas crónicas, próstata (curación radial, sin operación), sífilis y caída del pelo.

ATENDERÁ EN SU CONSULTORIO

Plateros de San Pedro 161
de 10 a 12 a.m. y de 5 a 7 p.m.

XI

La condesa había engordado considerablemente desde la última vez que la viera Jacobo. Se le notaba sobre todo en las nalgas, fofas y abultadas, así como en los senos, que los tenía más espesos y redondos. Le abrió la puerta vestida con un batón holgado y un pañuelo púrpura, que le cubría parte de los cabellos platinados. Unas cuantas palabras en ruso por parte de Jacobo bastaron para que la condesa lanzara efusivamente los brazos al aire y lo dejara entrar en la casa.

Entre risas y exclamaciones de sorpresa, lo hizo pasar al recibidor, separado del resto de las habitaciones por un biombo chino adornado de pájaros y burdas flores amarillas. Jacobo Lerner se sintió perturbado por la penumbra que reinaba en la habitación, así como por el exagerado maquillaje que lucía Madame Chernigov, el cual le otorgaba un aspecto entre infantil y grotesco. Pese a sentirse desganado por las experiencias del día, Jacobo se vio en la obligación de ponerla al corriente sobre lo que le había ocurrido desde que abandonara la pensión en 1923.

Cuando terminó su relato, Jacobo le preguntó si sabía dónde vivía Moisés. "La última vez que vi a Moisés fue hace dos años, el día de su boda, y desde entonces no se ha vuelto a aparecer por esta casa. No hay caso, los hombres son todos unos ingratos", respondió con un suspiro prolongado la condesa.

Jacobo le pidió un vaso de agua y Madame Chernigov volvió de la cocina con dos copas y una botella de coñac. Brindaron, entre otras cosas, por el desafortunado zar, por la desaparecida nobleza rusa y por los encantadores otoños moscovitas. Jacobo notó que las palabras de la condesa, si bien pronunciadas débilmente, no dejaban entrever ningún dejo de nostalgia. Llegada al Perú hacia el año de 1917, se acostumbró rápidamente a su nueva vida y, con la venta de unas cuantas alhajas que había sacado clandestinamente de Rusia, se compró una casa en Jesús María y se pasó varios años dando fiestas, asistiendo a conciertos y visitando museos. Cuando se le acabó el dinero, Madame Chernigov decidió convertir su casa en pensión para refugiados judíos rusos, de cuya inmigración se había enterado por boca de un conocido que trabajaba en el Departamento de Extranjería.

Un breve anuncio en el periódico bastó para que a la semana siguiente tuviera arrendados todos los cuartos de las casa. Su primer huésped fue Samuel Edelman, a quien le dio la habitación anexada al jardín y con ventana a la calle. Al poco tiempo se presentaron los hermanos Lerner, quienes compartieron la habitación del fondo. El otro cuarto disponible lo ocupó una muchacha proveniente de Viena, que se llamaba Miriam Brener.

Con el tiempo todos sus pensionistas cambiaron

de domicilio por diferentes motivos. Samuel Edelman se mudó de la pensión al año de haber iniciado su carrera de agente viajero y prefería hospedarse en un hotel del centro cuando venía a Lima para proveerse de nuevas mercancías. Jacobo Lerner salió una mañana de abril con su maleta al hombro sin decirle a dónde se dirigía. Ese mismo año Moisés se casó con Sara Brener, a quien conoció por medio de su hermana Miriam, quien contrajo nupcias ese mismo día, en ceremonia doble, con un amigo de Moisés, llamado Daniel Abromowitz. "Tampoco sé la dirección de Miriam", dijo la condesa.

Jacobo le preguntó si tenía un cuarto disponible y Madame Chernigov lo condujo a su antigua habitación. Antes de dejarlo solo, la condesa le dijo que la cena estaría servida a eso de las siete. Cuando se vio solo, Jacobo sacó sus ropas de la maleta y las colocó cuidadosamente en una cómoda. Luego se recostó sobre la cama, paseó los ojos por la habitación e inspeccionó rápidamente la pobreza del mobiliario. Del techo colgaba una bombilla sin pantalla; encima de la mesita de noche que estaba colocada al lado izquierdo de la cama, había un rollo de papel higiénico, varias barras de jabón y una palangana desportillada. Estando a punto de dormirse, la voz de la condesa irrumpió en la habitación. Jacobo se aseó apresuradamente, se puso una camisa limpia y bajó al comedor.

Durante la cena, la condesa se mostró de excelente humor. Dijo a Jacobo que podía quedarse todo el tiempo que quisiera porque estaba realmente encantada de tener a un compatriota en su casa. A Jacobo se le notaba apesadumbrado, cosa que Madame Chernigov atribuyó a la pesadez del viaje, pues ella, que se había recorrido la mayoría de los países de la América del Sur, bien sabía lo que significaba internarse por parajes poco hospitalarios en vehículos destartalados y por carreteras prácticamente intransitables.

Extrañado de que no hubiera otros huéspedes en la casa, Jacobo apenas probó bocado y casi no prestó atención a la desbordante charla de la condesa, quien arrastrada dócilmente por los efectos del vino, le enumeró en estricto orden cronológico a todos sus ascendientes. Entre los antepasados de la condesa, resaltaba un pretendiente al trono ruso, que murió asesinado por una de sus incontables amantes, quien a su vez fue envenenada para que no divulgara su crimen. Un tanto mareado por el vino y la conversación de su anfitrona, Jacobo se excusó y efectuó una ceremoniosa venia antes de retirarse tambaleante a su habitación, donde se desnudó, se metió debajo de las sábanas y permaneció un buen rato con la mirada clavada en el cielo raso y las manos enlazadas detrás de la nuca.

Su mayor preocupación era que Moisés se hubiese desaparecido sin dejar rastro, pero intentó convencerse de que no necesitaba a su hermano para poner en práctica los planes que había proyectado. Le resultaba difícil admitir que ya no podía soportar su soledad. Era un sentimiento que había empezado a acuciarlo ya en Chepén, cuando se dio cuenta de que era un hombre carente de compromisos, desvinculado totalmente de sus tradiciones y que marchaba irremisiblemente a la deriva. Pensó que al menos León Mitrani había encontrado solaz en la religión de sus antepasados. Pensó también que Chepén ya no era más que un espejismo en su memoria y que Lima empezaba a dibujársele como un paisaje igualmente borroso y aterrador.

Le regresó la memoria al día de su partida de Chepén, cuando fue a despedirse de Mitrani en su tienda. Hacía tiempo que Jacobo había descubierto, muy a su pesar, que del vínculo que los había unido estrechamente en el pasado sólo quedaban algunas hilachas malamente hilvanadas. Desde que decidió marcharse de Chepén, Jacobo se dedicó a visitar diariamente a Mitrani en su casa. Se sentaban al caer la tarde en el huerto sin que a ninguno se le ocurriera decir una palabra. A veces Mitrani se ponía de pie para desmenuzar los pétalos de una que otra rosa marchita y luego volvía a sentarse sonriente, como si la decadencia en que se encontraba su huerto le produjera inmensa gracia. Esta situación, agravada a raíz de la charla que sostuvieron acerca de las conveniencias y desventajas de radicarse en Chepén, perduró hasta el día de la partida de Jacobo. Ese día, protegidos por la oscuridad del recinto, los dos amigos dieron rienda suelta a sus emociones, hablaron como tantas otras veces de los recuerdos de su infancia y se abrazaron con el mismo ímpetu de hacía cinco años cuando se separaron en Hamburgo, sin siquiera sospechar que nueve años más tarde, después de la muerte de León Mitrani, el destino habría de reunirlos otra vez.

Al salir, Jacobo echó un último vistazo a su amigo y vio que León Mitrani ya había vuelto a caer en su habitual modorra y que tenía extraviada la mirada.

Recluida en su casa desde la noche en que le comunicó a Jacobo Lerner que iba a tener un hijo, Virginia era la única persona del pueblo que parecía no estar al tanto de la partida del judío. Desde que se enteró del embarazo de la muchacha, Jacobo dejó de frecuentar la casa de los Wilson y Virginia no volvió a mostarse por su tienda, pese a las diarias exigencias de don Efraín, quien al no poder explicarse lo sucedido y por tener las ilusiones firmemente puestas en que algún día Jacobo pasaría a ser miembro de la familia, sintió que el mundo se le precipitaba encima.

Doña Jesús, por el contrario, se santiguó agradecida, elevando los ojos hacia el cielo, cuando se enteró de la decisión tomada por Virginia y pensó que por fin volvería a reinar la paz en esa casa. Sin pedirle explicaciones de ninguna clase, felicitó a su hija por haber roto relaciones con el judío, mudó los muebles de su marido a la pieza donde habían reposado antes de que empezaran las visitas de Jacobo y se deshizo del sillón de terciopelo por cincuenta soles. Empleó ese dinero para adquirir su anhelada pareja de cerdos, los cuales fueron a parar en el chiquero que ella misma construyó sin ayuda de nadie en el corral de la casa.

Sin embargo, la paz que doña Jesús había previsto para su familia jamás llegó a materializarse, porque aun meses después de que el judío abandonara Chepén, Virginia seguía preguntándole cuándo vendría Jacobo a visitarla. Ni las reiteraciones de don Efraín sobre la promesa de Jacobo de volver al pueblo en cuanto resolviera sus negocios en la capital, ni la solicitud que mostraba doña Jesús en consolar a su hija, surtieron efecto en el ánimo de la muchacha, que había jurado no volver a pasar de la puerta de su casa hasta el día que se apareciera Jacobo a pedirle perdón de rodillas. Más tarde amenazó raparse la cabeza, embadurnarse la cara con ceniza y meterse de monja en un convento.

Como ya había empezado a echar barriga, Virginia se fajaba la cintura todas las nañanas con unos retazos que había rasgado del borde de su sábana. Y no fue hasta el quinto mes de gestación, cuando el dolor que le infligía la faja se hizo insoportable, que la muchacha puso al descubierto su embarazo. Ese día, don Efraín Wilson Rebolledo comprendió por fin que le “habían dado por el culo”, y expulsó de su mente las ilusiones de hacerse millonario con la ayuda del judío.

Crónicas: 1926

Don Moisés Lerner es elegido, por unanimidad, presidente de la Unión Israelita del Perú.

Al año de haber entrado en sociedad en un negocio de zapatería, Jacobo Lerner es desfalcado por su hermano Moisés. Poco tiempo después, siguiendo los consejos de Samuel Edelman, Jacobo decide comenzar la carrera de agente viajero. Así, una mañana de agosto, Jacobo se dirige con su maleta al hombro a la Plaza de la Universidad, donde aborda un ómnibus de la línea "Roggiero", rumbo al norte.

El profesor Nathan Newman inaugura un curso de Técnica de la Respiración y Educación de los Organos vocales (Oratoria). Dicta el curso en la Sociedad Filarmónica de Lima.

El día 26 de agosto le es ofrecido a don Moisés Lerner, presidente de la Unión Israelita, un almuerzo en testimonio de simpatía y gratitud por su gestión al frente de la Sociedad. Al brindar por el agasajado, don Marcos Kaplan, tesorero de la Unión, lee el siguiente discurso:

> Señoras y señores
> Señor Lerner:
>
> Con viva satisfacción sincera os ofrezco este modesto agasajo, que ha sido organizado por el que habla y otros amigos para testimonarios el profundo afecto a que os habéis hecho acreedor por vuestra labor de bien, en beneficio de nuestros correligionarios. Muy acertados estuvimos al poner nuestros ojos en vos, para confiaros la dirección de nuestros destinos, pues sólo un hombre como vos, pletórico de entusiasmo y dispuesto a la lucha, podría llevar la nave de la Unión Israelita a feliz puerto.
>
> Señor Lerner: ¡Salud por vos y por vuestra distinguida familia! He dicho.

Acto seguido, don Moisés Lerner agradece las palabras de don Marcos Kaplan, cerrándose el agasajo con un brindis general en pro de la prosperidad y felicidad de la Colectividad.

Jacobo Lerner se dirige al establecimiento de Humberto Martínez, sito en Chimbote, calle Gamarra Nº 274, para cobrar el importe de unas telas vendidas el día anterior. Martínez lo recibe amablemente, pero luego cambia de táctica y la emprende a golpes con el indefenso comerciante. Al escándalo acuden varios vecinos que salvan al señor Lerner de la furia de su agresor. Por efecto de los golpes, don Jacobo Lerner es remitido al hospital de Chimbote, donde ocupa la cama número 11 de la sala San Luis.

Se hallan actualmente en Lima, de paso para La Habana, los artistas israelitas Federico Lubin y Sara Goldstein, de larga actuación en la Argentina y Chile. Estos artistas, en colaboración con los aficionados de Lima —que ahora están en proceso de reorganización — ofrecerán varios espectáculos dramáticos en la capital.

XII

Efraín: Chepén, 1934

Desde que volvió de Lima la Virginia anda de mal genio, rezongándome a cada rato porque no sé hacerme la raya del pelo, porque le mojo el piso cuando me baño en la batea, porque se me perdió el escapulario que me dio la abuela, porque soy un mañoso con mis dolores de cabeza, porque no quiero salir a la calle a jugar con mis amigos cuando regreso de la escuela, porque. . . también se le ha dado por quedarse en la cama hasta el mediodía y ya no almuerza con nosotros porque se va al corral y se queda allí toda la tarde mirando las musarañas que está como soñando.

Dice la abuela que un día de éstos se la van a tener que llevar al manicomio donde tienen encerrada a la Matilde, que se le murió su hijo. Pero la Virginia se desaparece por las noches y dice la tía Francisca que se va a la casa de la china Chang, que es curandera y media puta porque le pone los cuernos al marido y hasta se rumorea por el pueblo que mi tío César se la monta, porque es un mujeriego de lo peor y tiene un bigotito que parece artista de cine y se sabe hacer la raya que le queda bien el pelo con gomina . . . dice la abuela que la Chang lo tiene embrujado porque últimamente a César se le ve muy flaco y tiene la cara toda chupada que parece un esqueleto.

La abuela tiene miedo que le pase lo mismo a la Virginia y ya se lo dijo que no coma ni tome nada en la casa de la Chang, sobre todo si le sirven huevos de chorlito que debilitan el cerebro, pero seguro que la Virginia ya se los comió porque anda media embobada, todo el día sacándose chucaques del pelo, dice que para despejarse la cabeza, que la tiene llena de bolitas de vidrio que le rebotan contra la nuca y dice que escucha ruidos raros todo el tiempo como murmullos de muertos.

Y todo desde que regresó de Lima y se encerró con el abuelo en su cuarto para hablarle en secreto sin que yo les oiga nada pero el abuelo "vamos a ver, ¿qué te dijo el judío?", y la Virginia "que me fuera al carajo", y otra vez el abuelo "¿cómo que al carajo? ¿y su hijo?", ahora la Virginia "que no lo quería en Lima, que mejor se quedara en Chepén y que me iba a seguir manteniendo mientras lo tuviera conmigo", y el abuelo "¿y tú qué le dijiste?", otra vez la Virginia "que si no se lo llevaba lo iba a demandar a la policía", esta vez el abuelo "¿y cómo reaccionó el judío?", y la Virginia "me dijo que la próxima vez que viniera a amenazarlo iba a hacer que me metieran en la cárcel", y el abuelo "ese hombre sí que tiene una concha del tamaño de una catedral. . . ¿y si le mandamos el hijo a la casa de Mitrani?".

Pero yo ya no llegué a oír lo que decía la Virginia porque me empezó a picar el cuerpo y se me llenó de ronchas por todas partes apenas oí el nombre del señor Mitrani, que dice la tía Francisca que es el diablo disfrazado de tendero, aunque la verdad a mí no me tocó ni un pelo ese día que Ricardo me convenció que fuéramos a la casa de Mitrani para darle un susto a su mujer, que es una vieja que nunca sale a la calle porque dicen que está ciega. Primero tuvimos que saltar la tapia que rodea la casa y luego nos metimos por el huerto, que apenas dimos unos pasos cuando se me clavó una espina en el talón y Ricardo me la tuvo que sacar con los dientes porque no podía agarrarla con las uñas, que se las come todo el tiempo, pero yo no me las como porque entonces la tía Francisca me embarra los dedos con caca para que me apeste el cuerpo.

Entramos por una ventana de la primera planta, despacito, quejándome de que me dolía el pie y no podía caminar, porque si no nos íbamos enseguida me desmayaba ahí mismo y entonces tendría que llevarme cargado hasta la casa, pero Ricardo "Efraín, no te cagues, aguanta un poco más que ya estamos llegando al cuarto de la vieja; sólo tenemos que subir esta escalera, cuidado con las gradas que están flojas", y yo Ricardo, mejor nos regresamos que si nos agarra el viejo nos devora vivos, pero Ricardo "no seas maricón, a estas horas el viejo está en su tienda y no llega hasta más tarde, un pasadizo más y ya llegamos". La puerta estaba entreabierta y nos colamos sin hacer nada de ruido, y la mujer de Mitrani acostada sobre la cama como un cadáver, los pies muy grandes, las patas peludas como un mono y muy gruesa la cintura como los toneles que tiene el injerto Chang para guardar las aceitunas.

Entonces nos escondimos, no sé por qué, detrás de un armario junto a la pared, porque la vieja no podía vernos, y desde ahí comenzamos a dar ayes lastimeros como almas en pena y la vieja que se levanta sin asustarse ni nada, tratando de aguzar la oreja, toda desgreñada que tampoco se peina, preguntando con voz trémula si era su hermana que había venido a visitarla, y a mí que me empiezan a castañetear los dientes y se me pone la carne de gallina, pero también meado de la risa porque Ricardo comenzó a seguirle la corriente, en voz muy suavecita como tiene que ser la voz de los muertos que vuelven de ultratumba, "Herminia, escúchame, soy tu hermana Ernestina que viene a darte malas noticias", y la ciega estirando el pescuezo, con la boca abierta "¿dónde estás, hermana? Acércate para sentirte", y otra vez Ricardo "las almas no se tocan, quédate sentada y escúchame bien porque no puedo estarme mucho tiempo", y la vieja "sí, hermana, dime", y Ricardo con voz llorosa "Herminia, anoche se murió nuestro padre; el doctor Meneses le metió un enema por el culo y le reventó las tripas".

Entonces comenzaron los alaridos de la vieja y ahí fue que salimos del cuarto disparados como si le hubieran prendido fuego a la casa y de repente una mano que me coge por el cuello y me arrastra como un fardo de vuelta al cuarto de la ciega y la voz del viejo Mitrani "cálmate, mujer, es sólo el hijo de Jacobo", pero la vieja medio histérica "León, anoche se murió mi padre y ya deben estar velándolo en su casa", y Mitrani enfurecido: "¡Estás loca de remate!, tu padre se murió hace tiempo, lo mató el doctor Meneses", y yo ahora sí que me fregué, ojalá que Ricardo haya ido a buscar a la Virginia, porque entonces el viejo que me saca del cuarto y me lleva hasta la sala que está medio a oscuras, apenas alumbrada por siete velas casi consumidas en un candil muy raro con siete brazos, con hojas y flores de metal que se retuercen como las llamas de las velas y unos venados con cuernos delgaditos que parecen tallarines para comérselos, y el señor Mitrani me obliga a sentarme en una silla y se pone a observarme con cuidado, con el dedo en el mentón, hasta que "eres el mismísimo retrato de tu padre, los mismos ojos, la misma nariz y esas orejas pronunciadas, no hay más que verte para saber que perteneces a los nuestros", y yo con los ojos bien abiertos pero esperando que el viejo abriera la boca y me tragase, y sin chistar porque tenía la boca seca y la lengua se me había pegado al paladar y de nuevo Mitrani "tu padre y yo somos íntimos amigos, nos criamos juntos como hermanos . . . pero él tuvo que irse a Lima, de eso hace ya ocho años, se fue antes de que nacieras, pero te quiere mucho y ya verás que un día vuelve a recogerte porque no se olvida de ti", pero yo casi sin oír una palabra porque me quería salir rápido de esa casa y de repente alguien que llama a la puerta y se aparece la tía Francisca con un crucifijo reluciente en la mano, blandiéndolo como una espada y le grita a Mitrani que me deje ir o llama a un guardia, y Mitrani también gritando "¿qué le pasa a esta vieja espantapájaros? ¿No ve que no le estoy haciendo nada al muchacho? ¿No ve que este niño es como si fuera mi propio hijo?", y la tía Francisca que se mete corriendo en la sala y me saca a la calle de un tirón y Mitrani gritando desde la puerta "¡Vieja bruja, métase su crucifijo por el culo! ¡Ya es hora de que le digan al muchacho quién es su padre!".

Crónicas: 1927-1929

Jacobo Lerner pasa una noche llena de sobresaltos en un hotel de San Pedro de Lloc, pueblo situado a cincuenta kilómetros de Chepén. Se despierta antes del amanecer, prende la luz del velador, toma papel y lápiz y se pone a escribir una carta.

San Pedro, 15 de noviembre de 1927

Señor Director de "Alma Hebrea"

Permítame comentar la carta de Samuel Edelman, que ve con cara buena la asimilación de judíos en el Perú. Sin intención ofender al bueno de Samuel, pienso la asimilación nos amenaza es un terrible pulpo, los cuales tentáculos se apoderan de todos los miembros de nuestra Colectividad, nuestros niños, la juventud toda. Si los asimilados adoptan solamente las costumbres peruanas, no hay motivo alarmante, porque a fin y cabo, somos judíos peruanos, pero desgraciadamente hay muchos entre nosotros que han formado hogar con mujeres de otra religión y educan sus hijos fuera de tradición judía. También hay otros prefieren decir, por miedo o por vergüunza, son alemanes, franceses, rusos, austriacos, etc., y niegan, sobre todo, son judíos. Esta es la clase de asimilación debemos todos combatir.

Atentamente,

JACOBO LERNER

El domingo 23 de noviembre se lleva a cabo la matinée infantil en el salón principal de la Unión Israelita, que ofrece un grandioso aspecto por la gran cantidad de correligionarios que llenan totalmente el local. En el salón contiguo está preparada una hermosa cantina, organizada por las damas israelitas. Una nota interesante constituye la presencia de un gran número de judíos sefardíes, quienes concurren por primera vez, contagiados del entusiasmo general.

A las 4 p.m., don Moisés Lerner, en su calidad de presidente, da comienzo al acto con una breve improvisación, refiriéndose al objeto de la fiesta y su significado para los niños. El señor Lerner es muy aplaudido al terminar su discurso. Acto seguido, son coreados los dos himnos (el hebreo y el peruano) por un coro infantil, acompañado en el piano para la "Hatikva", por la niñita Miriam Ackerman.

El niño Jorge Alcabá declama la poesía "Soy un pequeño sefardí".

El niñito Marcos Roithstein declama la poesía "Main Rebe".

La niñita Ackerman ejecuta al piano el vals "Celosa".

Sigue la declamación de "Mi muñequita", por Paulina Keller; luego la declamación del "Hatzipor", de Bialik, por el niñito Simón Ludmie.

A continuación la niñita Rosita Rosenblat declama la poesía "Madre mía"; concluyendo la primera parte del programa con la declamación de la poesía "Consejo maternal", por el niñito José Oscher.

En el intervalo se procede a la repartición de premios a los ganadores del torneo de ajedrez, siendo todos y cada uno de los ganadores aplaudidos por el público, al recibir su medalla de manos de la madrina del torneo Sra. Berta Rosen. La segunda parte del programa empieza con la "Hatikva", tocada al piano, a cuatro manos, por las niñitas Ackerman y Keller; después cantan los tres hermanitos Ludmie "Zug mir rebenim" y la niñita Paulina Keller canta y baila el número "Bajo la lluvia", entonando enseguida el coro infantil la "Hatikva".

En Pacasmayo, Jacobo Lerner conoce a Abraham Singer, judío polaco de unos cincuenta años de edad. Jacobo piensa que Singer es un hombre sumamente pintoresco: le rodea el cráneo una calvicie en forma de media luna, mide poco menos de metro y medio, tiene las piernas arqueadas y camina a pasos cortos y elásticos, balanceándose como un péndulo. Lo que más le llama la atención a Jacobo es la ocupación de su nuevo amigo.

Abraham Singer es propietario de "La caravana del placer". Su oficio consiste en proveer de mujeres a las guarniciones militares del norte. Sin embargo, la caravana de Singer visita no sólo los campamentos militares, sino que de vez en cuando levanta carpa en algunas poblaciones. Para ello tiene que sobornar al alcalde y al jefe de la policía con un porcentaje de las ganancias.

Cuando Jacobo le pregunta la razón por la cual anda envuelto en un negocio tan turbio, además de peligroso, Singer adopta una pose ceremoniosa y le replica que cumple con un deber patriótico. Añade que ya hay demasiados comerciantes judíos en la región y está seguro de que, de haber uno más, tarde o temprano ocurrirá una catástrofe. En sus andanzas por los pueblos del norte ha visto que se ha comenzado a acusar a los viajantes judíos de ser agitadores comunistas. Concluye diciendo que en la actualidad es más ventajoso hacerse pasar por turco que por judío.

Como Jacobo Lerner va camino de Ferreñafe, decide unirse a la caravana.

A la media hora de viaje, Singer le comunica que piensa detenerse en Chepén, donde levantará carpa por unos días. Unos kilómetros antes de llegar al pueblo, Jacobo le dice que no podrá acompañarlo hasta Chepén, pues asuntos urgentes requieren su presencia en Ferreñafe.

Haciendo un alto en la encrucijada de donde se desvía el camino hacia Chepén, Singer y Jacobo se despiden con un abrazo y hacen votos porque el destino vuelva a reunirlos.

Jacobo Lerner se sienta a un canto de la carretera a esperar el ómnibus que lo internará más al norte. A lo lejos ve acercarse un transporte de soldados. Entonces toma su maleta, cruza la carretera y va a esconderse, presuroso, detrás de una loma.

Cuando desaparece el ruido de los camiones, Jacobo abandona su escondite, vuelve a cruzar la carretera, coloca su maleta sobre la arena, saca un pañuelo del bolsillo del pantalón y se limpia, lenta, temblorosamente, el sudor de la cara. Las imágenes de León Mitrani, de Virginia y del hijo que no conoce forman un torbellino en su cabeza. Piensa que en cuanto termine de realizar sus cobranzas en Ferreñafe, se regresará directamente a Lima.

Don Augusto B. Leguía es reelegido Presidente de la República por segunda vez.

Desde Chiclayo, Samuel Edelman remite la siguiente carta al director de la revista *Alma Hebrea:*

Chiclayo, 22 de diciembre de 1928

Sr. director de la Revista "Alma Hebrea"

Mi buen amigo:

En días pasados publicaron los diarios de Lima una circular de la Junta de Defensa Social a provincias, donde se decía que los vendedores ambulantes extranjeros propagan el comunismo y hay que combatirlos sin cuartel. En vista de esta nueva calumnia, y en vista que esto puede perjudicar nuestros intereses, pues en esta profesión nos ganamos honradamente la vida, esperamos que la Sociedad de Vendedores Ambulantes salga en nuestra defensa y que desmienta la infundada afirmación de la susodicha junta.

Sin más, lo saluda su atento y S.S.

SAMUEL EDELMAN

Jacobo Lerner vuelve a Lima un sábado por la mañana y va a hospedarse en la casa de Marcos Geller. Marcos le entrega una carta de León Mitrani, que Edelman ha dejado en su casa. Durante dos semanas Jacobo carga la carta en el bolsillo del saco sin atreverse a abrirla, temeroso de que Mitrani le haya escrito para anunciarle una desgracia. Cuando por fin se decide a leer la carta de León, Jacobo piensa en el esfuerzo que ha malgastado todo este tiempo en expulsar de la memoria a su amigo, porque Mitrani lo acecha constantemente en sus sueños. Unas veces se le aparece con un libro de rezo bajo el brazo, paseándose por el patio de la escuela del rabino Finkelstein; otras veces se le presenta envuelto en una densa cortina de humo, que sale de la chimenea de un barco que navega sin luces a la deriva.

La carta de León Mitrani reza así:

Chepén, 15 de agosto de 1929

Querido amigo:

No es momento éste para amonestarte por hechos que pertenecen al pasado, mas recuerda que yo ya te había advertido que no es nada fácil encontrar la paz y la felicidad que uno busca. Sin embargo, aún tienes tiempo para empezar de nuevo. Yo opté por la tranquilidad y tú deberías seguir mi ejemplo. En este pueblo te aguardan con ansiedad tu mujer y tu hijo. Si te vienes a Chepén, podrás hacerte rico en poco tiempo.

Tu amigo que te quiere y extraña,

LEÓN

FIGURAS DE LA INQUISICION

(Especial para *Alma Hebrea)*

DIEGO NUÑEZ

Natural de Tavira, se denunció a sí mismo (marzo, 1570) de haber dicho que Jesucristo bajó al limbo con humanidad y divinidad. Fue condenado a oír una misa en la Iglesia Mayor, en forma de penitencia, a que se leyese en ella su sentencia y a abjurar de leví.

ARIAS BELLO

Natural de Algarbe y denunciado de sí mismo como blasfemo, fue condenado a pagar misas por la conversión de los indios y por las ánimas.

MANUEL DUEÑAS

Se le sentenció a cárcel perpetua en esta ciudad, en el hospital de los marineros, y se le condenó a que todos los domingos y fiestas de guardar fuera a oír la misa mayor y sermón, cuando lo hubiese, a la Iglesia Mayor, y los sábados en romería a la iglesia de La Merced, donde de rodillas debía rezar las cuatro oraciones de la Iglesia y debía confesarse y recibir el sacramento de la eucaristía las tres pascuas del año, por toda la vida. Murió atacado de demencia.

FRAY FERNANDO,
lego del Convento de La Merced.

AVISO

¡CORRELIGIONARIOS!: Ya pasó la época cuando se venía al país sólo para "hacer la América", y retornar luego a su país de origen. Hoy en día al venir a un país sudamericano, venimos con la intención de formar nuestros hogares aquí y, por consiguiente, debemos adoptar la ciudadanía del país que nos presta albergue.

¡NATURALÍCESE PERUANO!

NOTICIAS DE LA COLECTIVIDAD

ACCIDENTE

Fue atropellado por un auto particular en circunstancias que atravesaba la calzada, en la avenida Alfonso Ugarte, don Jacobo Lerner. Como el estado de don Jacobo Lerner era delicado, sin ser grave, fue remitido inmediatamente a la Asistencia Pública, donde el personal del indicado establecimiento lo atendió de urgencia, prestándole los auxilios médicos del caso, siendo conducido enseguida a su domicilio.

EL CASO DEL "DOCTOR"

Están informados nuestros lectores sobre cierto sujeto llegado a Lima hará cosa de cuatro años, y que se hacía pasar por médico, llegando hasta a captarse la confianza de algunos elementos de la Colectividad, para hacerlos luego víctimas de sus fechorías.

El tal "doctor", Julius Metzker, desapareció de Lima un buen día, después de estafar a varias personas y a algunos establecimientos comerciales, y a los pocos días se supo que fue apresado por la policía de Pacasmayo, de donde fue traído a la capital. Al poco tiempo consiguió su libertad y se fue al norte, donde intentó repetir sus hazañas con algunos correligionarios radicados en esa zona, quienes se dieron cuenta a tiempo de sus maquinaciones.

Es el caso, que al cabo de algún tiempo, se perdió todo rastro del "doctor", y ya habíamos creído que no se volvería a oír de él, pero harán pocos días nos enteramos por la prensa local que el "doctor" fue apresado en Trujillo y a solicitud de las autoridades será enviado a Lima, donde tiene otras cuentas pendientes con algunos de nuestros paisanos.

PAGINA LITERARIA

PASEO CAMPESTRE

He aquí que el haber vivido unas horas al contacto de la naturaleza, ha interrumpido el curso regular de mi existencia y me ha hecho cantar a la vida con toda la plenitud de mi ser. . .

Una mañana en que el sol se complacía en irritar a la tierra con sus resplandores y en que al mismo tiempo una brisa diáfana refrescaba el ambiente, nos fugamos, mis amigos y yo, de los prejuicios de la ciudad, para refugiarnos en la libertad del campo. Nunca como entonces subió hasta mí con tanta fuerza el perfume de la tierra y de las flores, y nunca como entonces sentí tan intensamente la alegría de vivir.

Es verdad que fuimos perversos de perturbar con nuestro bullicio la calma que allí reinaba, asustando así a los árboles que danzaban al compás de la brisa y a los pajarillos que cantaban sus canciones.

Es verdad que fuimos locos al correr por los prados, al saltar las barreras de los campos, al danzar al compás de la música, interrumpiendo así la siesta de los insectos que reposaban en la mullida alfombra de hojas caídas.

También es verdad que el campo nos perdonó todo esto, porque allí fuimos los que realmente somos y que en la ciudad no demostramos ser: gente llena de alegría que necesita un poco de solaz en sus vidas. Hasta que nos dimos cuenta que caía enteramente la sombra de la tarde y que era preciso regresar.

Al entrar en la ciudad, creímos que convenía desempeñar nuevamente nuestro papel de todos los días, pero nos separamos seguros de haber vivido una vida distinta y más agradable, una vida que de vivirla más a menudo, fortalecería nuestro cuerpo y elevaría nuestro espíritu y nos haría caminar por ella serenamente. . .

SARA LERNER

SUEÑO DE JACOBO LERNER: NOCHE DEL 25 DE SEPTIEMBRE DE 1929

gri gri iberal gris por todas partes gris embarcación garganta rocosa grises manos arrugadas grises manos tratando asirse nave gris sable enmohecido estocadas seguras tajantes corona sangre sobre cabeza nuevas grises manos muñones creciendo proapopa corriendo estocadas dando grises voces Farlos uns nit Yankel Vi Got iz dir lib los undt nisht iber!

grises desconocidas voces garuando sangre fina gris garúa vendaval vertiginosa nave embistiendo rocas mujer desprendiéndose proa hundiéndose burbujeante remolino sangre

aves revolteando gris círculo sobre playa León comiendo huesos Gud du bist gekumen Yankel Acaba morir tu padre León poniéndose pie dejándome llevar mano todo día andando sólo viendo gris redondel aves torno cabezas súbito anocheciendo margen río llegando León pasos desandando

sentándome embarcación orilla río Ich ken nit ariber tsu yener zait rostro sepultando manos empezando moverse embarcación gris soldado manco controlando timón

Mishka vu bistu geven di gantse zait? Buscando Judit buscando márgenes río avanzando hilera mujeres llevando hijos mano

Mishka detente timonel volviéndose espaldas manga sin brazo cayendo chorro sangre

embarcación inundándose Mishka riéndose carcajadas haciendo hueco manos embarcación achicando agua lanzándome gri gri iberal internándome bosque pinos cercado alambradas patrulla fusil al hombro perros persiguiendo hombre desnudo entre árboles

guardias deslizándose lado sin verme
gris gris por todas partes descubriendo
luz opaca final bosque casa ladrillos blancos
grises blancos
puerta abriéndose nevando copiosa gris blanca anciana
cabezacubierta pañuelo seda blanco Gud du bist gekumen
Yankel Acaba morir tu padre
alejándome carrera
maleta al hombro voz madre desgarrándome tímpanos Dain tate
iz ersht Itst geshtorben Dain tate iz ersht Itst geshtorben
camino cuerpo sepultado nieve cuerpo sepultado barba cana
barba empezando derretirse
gris cuerpo desapareciendo columna humo
gabán sombrero negro sobre camino carreta junto cadáver padre
gris galope galopando cayendo nieve ambos cantos camino
internándome
bosque pinos cercado alambradas patrulla fronteriza
fusil al hombro persiguiendo hombre desnudo pierna cojeando
defendiéndose
perros bastón blandiendo hombre sin verme oírme
gri gri iberal por todas partes
gris embarcación
penetrando garganta rocosa estrecha soldado manco
controlando timón manos
brotando gris sable enmohecido estocadas
seguras tajantes Farlos ins nit Yankel
Farlos inst nit garuando
sangre arrojando sable borda rió sangre navegando
vendaval gris vertiginosa nave mujer
desprendiéndose proa hundiéndose remolino sangre cerrando
ojos volviendo cabeza
viendo súbito
perfil ceniciento costa peruana

XIII

Efraín: Chepén, 1934

Esta tarde sí que tengo que ir a ver la cinta y la Virginia me dijo que no le quedaba un gordo y el abuelo me puso un real en la palma de la mano, y me lo dio sin cólera como quien entrega una limosna, no como otras veces cuando me grita que le cuesto un ojo de la cara. Porque todos han cambiado en la casa, que andan con la cabeza gacha sin mirarse a los ojos y tal vez mejor que sea así, porque se han terminado las peleas, no como antes cuando mis tíos se sacaban sangre por un pedazo de pan del desayuno, saltando como perros furiosos por encima de la mesa para arrancharse los bizcochos.

Ahora la casa está llena de un silencio pegajoso que no se puede caminar y todo el mundo se desliza por los cuartos como sombras y ya nadie se dice nada desde que le pasó a la Tere su desgracia. César hasta pensó meterle un par de tiros al alcalde, eso dijo, porque el abuelo se cruzó de brazos como resignado, y dijo que esas cosas pasan y que el alcalde tenía a la guardia civil metida en el bolsillo.

Desde el corral puedo ver a la abuela sentada en el umbral de la cocina espulgándose los piojos; los aplasta con las uñas, sentada a la sombra como un ídolo de piedra, y le dijo al abuelo cuando trajeron a la Tere medio borracha como idiotizada, con los ojos empapados de miedo y la falda ensangrentada como la de la abuela por los piojos "Efraín, por Dios, ya es hora de que nos vayamos de este pueblo, no podemos seguir viviendo de desgracia en desgracia", y lo dijo así, sin fuerzas, dejándose caer sobre la cama y ahí se quedó toda la tarde, muda, haciendo morisquetas con la boca, mirando cómo la Lucinda le limpiaba las piernas a la Tere y le daba agua de azahar para los nervios.

Y el abuelo paseándose por el cuarto como gato escaldado, parecía perdido en un callejón oscuro y sin salida como a veces me pierdo yo en mis sueños, ni le contestó, sólo tomó su sombrero y se salió a la calle y nos dejó con un peso más grande encima todavía, porque eso dijo la tía Francisca, pero antes de irse yo vi que le temblaba el cuerpo, pero él, no, que solamente sacudiéndose el polvo de las ropas, y no se volvió a aparecer por casa hasta muy tarde, pero nos encontró despiertos en el cuarto de la Tere, que parecíamos todos como con miedo de dormirnos y caernos en un pozo hondo. . . Sólo César hervía de la cólera porque le dijo al abuelo "no nos podemos ir hasta obtener justicia; después no me importa si este pueblo se hunde o no en la mierda". Pero nadie le hizo caso porque estaban más ocupados en oír los balbuceos de la Tere y Lucinda dijo que no tenía fiebre, que sólo eran los nervios, pero de todos modos hicieron llamar al boticario, que no llamaron al doctor Meneses, y después que le puso una ampolleta la Tere se durmió.

Pero nos quedamos ahí toda la noche a cuidarle el sueño, que parecía un velorio, sólo que no había un ataúd ni cirios en el cuarto, sólo el cuerpo de la Tere, que estaba muy oscuro y a nadie se le ocurrió prender por lo menos un mechero para alumbrarnos.

Al otro día vino el padre Chirinos a la casa a confesar a la Tere: lo llamó la tía Francisca y eso que César le había dicho que no quería verlo ni en pintura, porque "ese cura de mierda es compinche del alcalde y se nos va a reír a todos en la cara". Pero de todos modos vino, que el abuelo no estaba, y se quedó a solas con la Tere en el cuarto, mi tío César protestando que "vaya uno a saber lo que le estará haciendo ahí dentro" y la tía Francisca enceguecida por la ira por poco le mete un sopapo, porque "no se habla así de un santo", y después el padre Chirinos salió del cuarto de la Tere persignándose, con el rosario en la mano con la cruz negra, y parecía como más viejo. Entonces cogió a la tía Francisca por los hombros y la miró sin decirle nada a los ojos llenos de agua que estaba llorando.

César le preguntó qué pensaba hacer ahora que sabía la verdad y el padre dijo con la voz muy baja "no tengo ninguna autoridad para tomar cartas en el asunto; debemos dejar todo en manos del Señor y mientras tanto yo rezaré por la pequeña Tere", y mi tío César se quedó tan ahogado por la rabia que las venas querían salírsele del cuello y no dijo nada porque cuando ya podía hablar el padre Chirinos se había ido de la casa. . . y desde ese día la casa no es la misma, hay como un olor a abandono, como si hubiera pasado la muerte por nosotros.

Después la Lucinda le dijo al abuelo que tuvo que aplazar su boda con el boticario, porque toda la culpa la tenía la Tere, que en todo el pueblo no se hablaba más que de su desgracia, porque esa noche que trajeron a la Tere con la falda rota, César se fue corriendo a la casa del alcalde, que se trancó por dentro, y le gritó que saliera a la calle porque le iba a machucar los huesos, pero entonces se aparecieron los guardias y al César se lo llevaron al calabozo y hasta creo que le rompieron la cabeza.

Desde esa noche la Beatriz ya no se desaparece de la casa por las mañanas y hasta se ha puesto más calmada y pensativa, y se pasa todo el día limpiando las telerañas de la casa, dándoles afrecho a los chanchos, planchando ropa y haciendo la comida porque la abuela se queda sentada todo el día en el umbral de la cocina a espulgarse la cabeza y se parece cada vez más a la Virginia, que se ríe sola a todas horas, porque desde hace días a mí ya no me duele la cabeza ni me dan esos mareos que. . . pero lo que sí tengo es un susto constante en el cuerpo, sólo de ver a toda la familia arrastrarse como sombras por la casa. . . después al César lo sacó el abuelo de la cárcel, tenía la camisa sucia porque nadie fue a verlo, y se fue a Lima para armarle pleito al "pájaro de dos buches", porque el alcalde es corcovado del pecho y la espalda y de verdad parece eso. Pero amenazó con matarlo al abuelo que no quería pagar un abogado ni darle plata para el viaje, porque hace tres semanas que se fue y todavía no hemos tenido ni una carta. . .

El abuelo sigue tan campante como antes porque sigue vendiendo sus cosas por el pueblo como si no hubiera pasado nada y la tía Francisca le ha dicho ya mil veces que deben volverse a Cajamarca y empezar de nuevo, pero el abuelo no quiere hacerle caso. Como si alguien le hubiese puesto cuerda se la pasa repitiendo que ya está viejo y eso de andar de pueblo en pueblo es cosa de gitanos. . . que ahora están por todo el pueblo y han levantado su carpa en las afueras, porque el otro día una gitana vieja nos tocó la puerta y cuando la abrí se me quedó mirando boquiabierta con sus dientes de oro y entonces llamé a la Virginia y la gitana le dijo "¿tú es la mamá de este mancebo?", y la Virginia "sí, ¿qué quiere en esta casa?", y otra vez la gitana con sus dientes de oro "¿cuánto venderme el mancebo, señorita?", y la Virginia que abre tamaños ojos y me mira y yo me le meto entre las piernas porque comienza a reírse y dice "¿cuánto me ofrece por el chico?", y yo me le meto más entre las piernas y me le agarro de la falda, y la gitana "diz tú, señorita", y otra vez la Virginia "cien soles, ¿le parece bien?", y la gitana "sí, llévole ahora mismo, señorita", pero entonces yo me suelto de la falda y salgo corriendo al corral, casi ahogándome del susto y oigo la risa de la Virginia en la sala.

Esa noche soñé que la Virginia me vendía a los gitanos y me llevaban a su carpa y hacíamos después un viaje bien largo y llegábamos a una cueva debajo de un lago que se podía respirar y en la cueva me recibía un hombre alto con la piel morena, los ojos como dos carbones, que me dijeron era el rey de los gitanos porque abría los brazos para agarrarme y me llamaba hijo. . . pero después me desperté y no estaba sudando ni nada, ni tenía calofríos, más bien me sentía más tranquilo y en el pecho una calma y un contento que. . .porque ya hace tiempo que ni Ricardo ni yo vamos al colegio y ni siquiera la tía Francisca se preocupa de que me pase todo el día bañándome en el río o vagando por el campo, que ya no me gusta quedarme en la casa viendo a la abuela sentada en el umbral de la cocina destripando piojos, porque ya no es como antes que la tía Francisca me llevaba a la escuela a correazo limpio. Ahora la tía Francisca sólo se ocupa de la Tere y la tiene viviendo en su casa para que nadie la fastidie y ya no sale a la calle tampoco, porque la Lucinda la llenó de insultos cuando se repuso y le gritó que por su culpa se quedaría el resto de su vida a vestir santos como la Francisca y la Virginia.

Tengo un sol exacto para ir al cine y nadie me lo quita, que jamás hubiera puesto un pie en el "Alfa" si por don Fermín no fuera, que siempre me compra los clavos que le llevo, y estamos en Semana Santa y esta tarde van a pasar una cinta religiosa, que dice la tía Francisca que es muda y los artistas nomás hacen gestos y mueven la boca como si hablaran pero no dicen nada, igual que la Virginia cuando se habla sola.

El padre Chirinos dice que la cinta de esta tarde es muy triste y que habría que tener el corazón de piedra para no llorar, pero el abuelo dice que da risa y que quién se va a poner a llorar por cojudeces, y yo ya no sé a quién creerle porque al principio lo quería mucho porque era como un padre para mí, que dice la tía Francisca que se encariñó conmigo desde el día de mi bautizo. La primera vez que me confesé estaba que me moría de los nervios, pero el padre Chirinos me acarició la cabeza y me sonrió y yo también le sonreí porque ya no tenía tanto miedo, que Ricardo me dijo que en la confesión hay que desvestirse para descubrirle al padre los pecados, que no sé si los tenía, aunque dice la tía Francisca que nadie se libra del pecado porque el diablo anda metido en todas partes y no lo podemos ver porque es mañoso y a veces se convierte en aire.

Dice la tía Francisca que hasta en el cuerpo de los niños se mete y se queda ahí bien escondido para hacernos porquerías, pero el padre Chirinos me regaló una estampa de Santa Rosa y me la llevé a la casa y la puse debajo de la almohada.

Después todas las tardes yo me iba a la iglesia y me subía al altar y podía verlo de cerca a Jesucristo y a la virgen con su bebé en los brazos que parece un muñequito y dice la tía Francisca que es el niño Jesús que después creció y se murió en la cruz porque ahí lo clavaron los judíos. . . por eso lo quería mucho al principio, porque me enseñó a leer y por eso sabía un montón de historias sobre los primeros cristianos en el mundo y lo mucho que sufrieron por creer en Jesucristo, porque fueron perseguidos por unos hombres de corazas relucientes y unos sombreros muy raros con penachos.

El padre Chirinos me contaba cómo Jesucristo había venido al mundo para salvarnos a nosotros los cristianos y resucitó después para irse al cielo con su padre. A la Virginia no le gusta que le hable de estas cosas, porque dice que Jesucristo fue un cojudo que se dejó matar por gusto. Y la tía Francisca me dice todo el tiempo que no le haga caso a la Virginia, que se ha vuelto loca por sus penas. . . pero entonces yo me iba a la iglesia y me quedaba mucho rato mirando a Jesucristo y después venía el padre Chirinos y juntos rezábamos en voz baja un Padre Nuestro. . . pero después el padre ya no me quería ni me llamaba hijo; empezó a cogerme ojeriza cuando le dije un día a propósito que yo no creía en Jesucristo y cuando vi que el padre levantaba la mano para plantármela en la cara, del susto me le arrodillé ahí mismo y le pedí perdón, pero el padre ni me sonrió ni nada, y por eso el padre Chirinos ya no es el mismo de antes, porque ahora cuando me ve en la iglesia como que se esconde y se va a su cuarto para no hablarme.

Pero ayer yo lo seguí hasta su cuarto y cuando abrí la puerta estaba sentado al borde de la cama, escondida la cabeza entre las manos, que el cuarto parecía más vacío que otras veces porque ni siquiera una silla. Me quedé de pie y le pregunté que quién era mi padre y el padre Chirinos me dijo que qué clase de pregunta era ésa, que Jesucristo era mi padre, y yo otra vez que quería saber quién era mi verdadero padre, y él "tu verdadero padre, tu único padre es Jesucristo", pero yo que la tía Francisca dijo que mi padre se murió hace nueve años en el incendio de su tienda, y el padre Chirinos que era cierto, entonces yo que dónde lo tenían enterrado, y el padre "no lo enterramos en el pueblo porque el viejo Mitrani se empeñó en mandar el cuerpo a Lima", y yo de nuevo que cómo es que el señor Mitrani dice que mi padre vive en Lima, y el padre Chirinos que Mitrani estaba loco y no debía hacerle caso, entonces yo que si era verdad que mi padre era judío como el señor Mitrani, y él "solamente sé que no creía en Nuestro Señor Jesucristo como debe hacerlo todo buen cristiano", y yo que si era verdad que los judíos habían matado al Señor, y el padre Chirinos que sí, que lo habían atormentado sin misericordia en la cruz. . .

Entonces me salí corriendo de la iglesia y me regresé a casa llorando y estuve toda la noche sin poder pegar un ojo, pensando en lo que me había dicho el padre, y hoy por la mañana se lo pregunté al abuelo que quién era mi padre y el abuelo me contestó como otras veces que no andara preguntando cojudeces que ¿no veía que estaba haciendo inventario?, porque tampoco voy a ir a la tienda del señor Mitrani que siempre me dice lo mismo que mi padre está viviendo en Lima, porque si se entera la tía Francisca de que voy a verlo es capaz de cortarme las orejas.

A la abuela ya no le pregunto nada, sigue machucándose los piojos como si ya no estuviera allí sino muy lejos. . . pero esta tarde voy a verlo todo con mis propios ojos, porque van a poner en al "Alfa", "Vida, pasión y muerte de Nuestro Señor Jesucristo".

XIV

Sara Lerner:

Lima, Diciembre 16, 1935

¿Qué hacer? La indecisión me mata, siempre me lo están diciendo mis amigas, "ay, Sara, a ver si te decides una vez que todavía no tenemos el programa", bien lo sé, pero que no me lo digan ellas que da rabia, porque ¿quién es la que más trabaja?

Las cosas se hacen bien o no. . . que para eso, entonces cualquier cosa sin gusto ni nada, como cuando estaba la Kauffman ésa sin ninguna clase de cultura, en la cocina se debería haber quedado a pelar papas y no al frente de la Sociedad de Damas, como yo ahora, que mía es la responsabilidad y de nadie más, porque es virtud saber vivir con el éxito o el fracaso, se lo dije así mismo a Jacobo, pero él como si nada, que cuando algo sale mal a nadie le echo el muerto.

Toda la tarde me puedo quedar leyendo la revista si me da la gana, pero podría ir a verme con la Miriam porque "es útil saber que los objetos de nácar quedan relucientes frotándolos" Yosef en el colegio, la sirvienta le prepara la comida, Moisés no viene hasta la noche y "algunos discos muy usados pueden rejuvenecer pasándoles un pañito muy suave" entonces tengo que estar en casa cuando llegue "con un poco de betún para calzado" que no le gusta que me quede todo el día fuera, pero la culpa no es mía que yo también tengo mis obligaciones y si no soy yo ¿quién se encarga?

Tampoco puedo quedarme en casa todo el tiempo a prepararle la comida, porque así me vuelvo loca, yo también tengo mi vida porque ¿cómo es mi vida?, mejor que otras vidas de eso sí estoy segura, basta con ver a la Miriam para darse cuenta de mi buena suerte. En Viena, ¿era mejor mi vida?, porque Lima ni se le compara, mucha gente inculta por todas partes y las calles siempre sucias; a veces me entran ganas de regresarme a Europa, pero ¿con todo lo que está pasando en Alemania?

De todos modos a Moisés de aquí no hay quien lo saque. Jacobo sí me llevaría si se lo pido, un viaje en barco me hace falta para salir de la rutina.

¿Qué hacer? "Con corteza de tocino se limpia admirablemente el terciopelo negro", porque todavía falta hacer los preparativos para la kermés de la próxima semana, a Dios gracias la actuación de este domingo ya está organizada y si Miriam supiera que le hemos cambiado todo el programa de principio a fin, seguro se muere de la rabia, que no nos gustó nada como lo quería porque ¿para qué quedé en ir al cine si no tengo ganas? ¿Por lástima que me da?

Pero ni tonta para salir a la calle con esta garúa, garuando toda la noche sin parar, una llovizna triste es lo que siempre es, en Viena la llovizna es más alegre como que canta, sí, llovizna cantarina la de Viena... y a Moisés le empezaron a doler los callos, le duelen de noche cuando llueve y yo tener que levantarme a calentarle agua. Mañana también lloviznará todo el día dijeron por la radio, con tal que no llueva el próximo domingo que tenemos la kermés al aire libre, entonces no podré pasarme por la casa de Jacobo, que no se lo prometí ni nada, pero se lo dije a Moisés que después de todo era su hermano y él que haga lo que me dé la gana, no de un hombre cualquiera que nadie lo conoce, porque siempre que me pongo a hablarle de Jacobo, Moisés se enoja y ya no me habla en todo el día, por eso mejor dejarlo en paz porque no sé qué pueda tener en contra de su hermano, que si no fuera por él a estas horas quién sabe dónde estaría, porque Jacobo daño no le hace a nadie, nomás con su negocio que desprestigia a la Colonia, porque ¿me quería Jacobo?

Si se nos muere ahora adiós kermés y todo porque "con motivo del próximo viaje a Europa de la Sra. Fishman" ¿cómo voy a ir a verlo sola?, otra cosa fuera con la Miriam, pero "le fue ofrendada una simpática fiesta por los esposos Hellman" ¿qué hacer?

No puedo ir así de buenas a primeras y decirle Miriam, vamos a ver cómo sigue Jacobo "en una atmósfera de franca cordialidad" porque seguro me tira un florero por la cabeza "habiéndose bailado hasta altas horas de la noche" y no la culparía, pero así y todo me gustaría verle la cara cuando se lo pida. Seguro se muere de la rabia porque "asistieron los esposos Katz, Lerner, Kaplan y Bronstein" a Miriam ni siquiera la invitaron, porque, Dios mío, las mentiras que me dijo, y ¿quién no sabe que Jacobo canceló la boda a último momento y no Miriam?

Venir a decirme a mí que fue ella la que no quiso

casarse con Jacobo, como si yo se lo creyera, mentirme a mí que la conozco mejor que a la palma de mi mano, gracias al cielo debería haber dado porque ¿quién se iba a fijar en ella? A los cuarenta las mujeres ya no estamos para hacernos de rogar, eso le dije, ni para escoger tampoco aunque "más gente en el mundo entero viaja sobre llantas 'Good-Year' " ella tampoco había escogido porque la elección fue mía, a Jacobo le dije es hora de sentar cabeza, ¿dónde vas a encontrar mejor mujer que Miriam?, un hogar judío es lo que necesitas y Jacobo, que nada más por mí lo hacía, que cuando de convencerlo se trata nadie me gana, que a nadie le hace caso, porque si no es por mí no se habría dejado internar tampoco.

De todos modos Jacobo canceló la boda y a último momento se arrepintió quién sabe por qué, porque no quiso decirme nada y tuve que cancelar la ceremonia tan linda que iba a ser con todas las flores que habíamos adornado los salones de la Unión, no como me casé yo sin flores ni nada, pero eso fue hace años y las cosas han cambiado porque "la compañía de seguros 'Italia' asegura la vida humana en la forma más ventajosa" ¿para bien han cambiado?

Porque hay que ver los chismes que corrieron por toda la Colonia, pobre de Miriam, desde que se le murió Daniel ya no es la misma de antes, hasta quiso matarse arrojándose por la ventana, pero a Dios gracias la detuvieron a tiempo, si no el escándalo que hubiera sido, una mujer sin suerte es lo que es, porque si no fuera porque Jacobo es el hombre más caritativo que conozco en la calle estaría la Miriam a estas horas, que se cree que la plata viene de Moisés con todos los gastos que tenemos, porque no somos ricos ni mucho menos, como se lo imagina ella, y Moisés dice que no se lo diga y que siga creyendo lo que le dé la gana, ni Jacobo tampoco quiere que lo sepa porque entonces no aceptaría su dinero, pero ahora que Jacobo va a morirse no sé qué va a pasar. . .

¿Qué hacer? Ya veremos lo que se hace, tampoco puedo permitir que se quede en la calle sin donde ir, porque Moisés sí que no la recibiría en nuestra casa, pero si acepto que el hijo de Jacobo se venga a vivir con nosotros, entonces ya sobraría algún dinero para pasárselo a la Miriam y no diría nada Moisés porque la plata seguiría siendo de Jacobo, que no sé cuánto tendrá en el banco ya, una fortuna debe de tener con el negocio que puso en La Victoria, porque dice Moisés que también él debiera haberse dedicado a eso, que hay que ver lo bien que le ha ido a Jacobo, pero qué se lo voy a permitir siendo presidente de la Unión y todo, porque ¿qué diría la Colonia?

Ya bastantes dificultades tiene explicando lo de su hermano que le ha manchado el nombre de sus padres, porque no quiere ni pensar que hace años Jacobo lo salvó de caer en la ruina, en la cárcel estaría y yo en la calle con mi hijo, no faltaba más, porque se lo debo todo a Jacobo, mi felicidad por nada del mundo la cambiaría se lo dije a Jacobo, porque quién sabe si es verdad que me quería. . . tan solo el pobre que da pena, mejor suerte se merece que la que tuvo, porque él también me debe mucho, que ingrata no soy porque ninguna obligación tenía yo de invitarlo a mi casa ni de darle una familia, porque ¿qué se iba a hacer tan solo?, ni tampoco nadie me forzó a ir a verlo al sanatorio, que yo fui la única y lo abandonaron todos sus amigos, que tampoco los culpo porque me daba miedo ir a verlo y dicen que la locura es contagiosa.

¿Estaría loco de verdad?, pobrecito, se quedaba ahí quieto, como dormido, sin decirme nunca nada. ¿Se podrá soñar con los ojos abiertos? ¿En qué soñaba Jacobo cuando iba a visitarlo al sanatorio?, yo siempre sueño con la casa de mis padres en Viena, mi dormitorio con mis muñecas, que mamá se murió cuando yo era una niña que no sabía nada de la vida y ya casi no me acuerdo de ella. ¿Se acordará la Miriam? Seguro que Jacobo no soñaba nada, qué iba a soñar si estaba loco, ¿los locos sueñan? ¿qué hizo para que lo internaran en el sanatorio?, dijo la verdad y a lo mejor hasta tenía razón. ¿Por qué no puede volver a pasar lo mismo en el Perú?

Se me ponen los pelos de punta cuando leo lo que nos hicieron en este país, bárbaros tenían que ser, torturar y asesinar a la gente sólo porque eran de otra religión, y dice Moisés que los tiempos cambian y que estamos a salvo en el Perú, pero ¿y lo que está pasando en Alemania? ¿Quién nos asegura que eso mismo no va a pasar aquí?

Que digan lo que quieran, lo que es yo no me confío mucho de los *goyim,* que una nunca sabe, ni siquiera en Lima, los periódicos siempre están llenos de calumnias y es claro que nos odian hasta más no poder, pero ¿qué puedo hacer ahora? No puedo ir a verlo si nada tengo que decirle, mejor pasarme por casa de la Miriam a ver si quiere ir juntas que sola nunca, sobre todo ahora harta que estoy de ver morirse gente, muertes y más muertes como si una maldición nos hubiese caído encima.

Aquí está por fin la página literaria, siempre tan bonita, que cuando se murió mi padre la Miriam ni siquiera quiso aparecerse por la casa y me dejó a mí encargada de todo y el entierro y "recuerdo aquella noche en que la luna brillaba en el cielo azul" tenía que lavarle la bacinica y bañarlo en la cama "rodeada de estrellas que derramaban su blanca claridad por el campo" con ese olor a muerto que tenía encima antes de morirse y "paseábamos por el jardín tupido de árboles florecidos de mayo" después ver a Daniel la cara hecha pedazos, que en el hospital lloré de miedo nada más y "todo aquella noche, las flores, el perfume de la primavera, la luz de la luna, nos alegraba el camino de nuestro amor" temblando me pasé toda la noche de sólo pensar que bien podía Moisés haberse pegado el tiro en la cabeza, porque también había perdido un montón de plata y "aspirábamos el aire perfumado de la bella madre naturaleza" el bueno de Jacobo vuelta otra vez a sacarlo de la ruina. Nunca se quejó ni dijo nada por lo que Moisés le hizo "unidos por el más puro amor" que ni acordarme quiero porque ya son cosas del pasado, pero entonces ¿qué hacer? . . .

Lo menos que puedo hacer es ir a verlo, pero no tengo cara para aparecerme sola, con la Miriam fuera otra cosa, a Moisés no puedo convencerlo con lo ocupado que está con su trabajo y las obligaciones de ser presidente no son tampoco poca cosa. Hay que ver todo lo que ha hecho por nuestra Colonia, en pañales estaría sin Moisés porque a Dios gracias se lo reconocen todos, que de Jacobo quién se acuerda si nunca hizo nada en pro de la Colonia con todo su tiempo y su dinero, que no es fácil con familia. Si fuera Moisés ya tendríamos otra sinagoga; a las ocho llega y tengo que tenerle lista la comida, que son muchas mis obligaciones y Moisés quiere un hogar judío como debe ser y los viernes que prenda velas y todo, pero entonces ¿qué hago yo que soy una mujer moderna?

Albóndigas de pollo le voy a cocinar, que sufre del estómago y debe cuidarse le digo, porque tiene razón el doctor Rabinowitz que hay que comer siempre a horas fijas, debe descansar le digo, pero él que tiene un deber con la Colonia y al menos le reconocen sus esfuerzos y lo aprecian mucho como debe ser, no como a Jacobo que me da vergüenza oír su nombre, lo mismo cuando se ponen a hablar de su negocio para que yo los oiga, que debe ser un mundo muy extraño, porque ni siquiera me lo imagino como en las películas con esas bombillas rojas y todo lleno de sombras y de mujeres semidesnudas, porque ¿será verdad que se lo iba a pedir a la Miriam?

No son cosas para ponerse a pensar una dama, mejor ocuparse del bienestar de la Colonia, tantas cosas por hacer que no me doy abasto. Si no es la matinée es la kermés, si no es una reunión es un agasajo a Moisés. Si supieran el dinero que me gasto en ropa, menos mal que los amigos de Moisés me hacen buen descuento, pero la rabia que me da que lo sepa la Kristal porque "el vestido para veladas en encaje colorado es modelo de éxito: lleva un volante triple y, para completarlo, apareció el abanico en el mismo encaje", debe costar una fortuna, pero, claro, como el marido es millonario tranquilamente puede darse los lujos que le dé la gana y vestirse a la última moda de París como si nada, pero no niego que sabe vestirse con gusto.

Estaba magnífica la otra noche en la velada y con lo bien que canta, pero la Miriam nada más que criticándola toda la noche, en voz no tan baja que no pudieran oírla los demás. Tuve que levantarme de mi asiento por la vergüenza que me dio y le dije a Moisés que iba a empolvarme, pero de todos modos la Miriam me da lástima.

Entonces ¿qué me voy a poner para el domingo? ¿Otra vez la estola que me compró Moisés para mi cumpleaños?

No hay más remedio, pero ya vergüenza me da usarla tanto, quizá esta vez mejor ponerme el vestido negro, que si se muere Jacobo entonces me lo tengo que poner para el entierro, ¿qué hacer? . . . pieles no tengo que "para la hora del té se llevan con frecuencia los tapados en terciopelo, en línea encantadora, alargados atrás con minúsculos godets", ya es hora que Moisés me compre algo nuevo, como primera dama de la Sociedad que soy me corresponde a mí dar el ejemplo porque "en la moda actual el saco y el calzado hacen juego: el modelo habitual es una combinación de charol y de crepé de China" si por mí no fuera no se hace nada nunca, no como antes cuando estaba la Rosenblat esa, una envidiosa de lo peor que iba a las sesiones sólo para armar escándalos.

A Dios gracias se fue de Lima el año pasado y ahora todo es armonía entre nosotras, que también tendré que encargarme de la venta de *matzot* este año, hay más pedidos que nunca y quién sabe si llegan a tiempo de New York, que me gustaría ir un día de éstos porque Moisés dice que ahí tiene un hermano y a ver si nos hacemos un viaje pronto que "son muy bonitos unos pequeños tapados cortos o semilargos en encaje de oro o plata".

La ropa en New York es más barata, mitad de precio de lo que cuesta aquí y mejor corte por supuesto;

no hay que irse a París ni mucho menos para comprarse ropa, divinos esos aviones tan modernos que en quince horas ya estamos en New York como un sueño, pero ¿qué hacer?

Todavía tengo tiempo para ir al cine con la Miriam que seguro me está esperando, pero esta noche le voy a decir a Moisés que no es justo que no vea a su hermano, que vaya solo, eso es, porque lo lindo que le quedó el discurso y mañana hay otra reunión para la kermés y tengo que ir sin falta, porque ya sé lo que me dirá Moisés que "acá en el Perú vivimos no sólo para la materia sino también para el espíritu".

Cómo lo aplaudieron cuando dijo eso y que no me meta en lo que no me importa, pero de todos modos tampoco es justo porque un hermano es un hermano por más rabia que le tenga ¿de ser un pobre diablo? Tamaña locura ir a hacerle un hijo a una india, que yo no lo voy a dejar que entre en mi casa. ¿Qué me voy a hacer con un muchacho que ni siquiera es de los nuestros?

En dos años a Yosef le hacemos la *bar mitzva,* lo contento que estará Moisés de ver a su hijo convertido en hombre, el hombrecito más lindo de toda la Colonia, llamar al rabino y empezar a prepararlo desde ahora, no pienso escatimar un solo gasto porque para mi hijo lo mejor, que ¿cómo le vamos a hacer una *bar mitzva* al hijo de Jacobo?

Loco hay que ser para pedirnos eso, a la sinagoga no puede entrar que seguro el rabino no lo deja y ya se arrepentirá Jacobo de haberse metido ahora con esa zamba, ahora sólo falta que también le haya hecho un hijo y nosotros sin saber nada, como si las judías no pudieran darle lo que busca y encima quiere que su hijo se venga a vivir en nuestra casa y "desde hoy verán todos si es verdad aquello de que el nuestro es el pueblo del libro" a lo mejor Moisés encantado de la vida porque sólo así podrá recibir el dinero de Jacobo y hay que ver lo que diría la Colonia si le cuidamos al hijo, porque "por tan pocos que somos aquí en el Perú ya hemos llegado a un grado tan alto de adelanto que" al rabino se lo voy a preguntar a ver qué me aconseja, seguro me dice que lo dejemos en su pueblo, que para qué vamos a meternos en un lío, porque si de veras tanto quiere a su hijo que se vaya a vivir con él ahora mismo. ¿Qué puedo hacer yo?

Que no se nos muera hoy es todo lo que pido, que si no hay que posponer el programa de mañana y la cólera que le va a dar a la Miriam cuando vea los cambios que hemos hecho y tampoco es justo pedir de nuestros niños que aplacen la función que "me atrevo, señores, a hacer esta afirmación rotunda", todo va a quedar divino, porque entonces mejor ir ahora mismo donde Miriam y pedirle que me acompañe a casa de Jacobo porque "dentro de algunos años no habrá entre las colonias extranjeras del Perú, ninguna más próspera que la nuestra" cuando acabó con su discurso lo aplaudieron calurosamente, sólo para verle la cara que pone la Miriam cuando se lo diga. . .

Crónicas: 1930-1931

El Comandante Luis Sánchez Cerro se subleva contra el gobierno de Leguía. Repercute su movimiento en la capital, la guarnición de Lima exige la dimisión del Presidente. Leguía entrega el poder a la Junta de Gobierno, presidida por el General Manuel Ponce.

Sánchez Cerro vuela desde Arequipa a Lima y asume el mando. En su recorrido automovilístico desde el aeropuerto al palacio, es aclamado frenéticamente por un inmenso gentío.

Leguía es encarcelado con sus acólitos: van a ser juzgados por enriquecimiento ilícito ante un tribunal especial.

A causa de haber salvado milagrosamente la vida en un accidente automovilístico, don Jacobo Lerner asiste al servicio religioso, celebrado durante la fiesta de "Shavuot", y hace promesa de donación de un "Sefer-Tora" para la sinagoga.

Habiendo sido puesto en libertad por las autoridades de Lima, el doctor Julius Metzker se dirige nuevamente al norte. A su paso por Chepén, se hospeda en la casa de León Mitrani. Metzker promete curarle su cojera y logra que Mitrani le adelante la cantidad de 200 soles oro para adquirir los utensilios necesarios para la operación que piensa realizar con la asistencia del doctor Francisco Meneses.

Dos días más tarde, el doctor Metzker se desaparece sin dejar un solo rastro.

Abraham Singer y Jacobo Lerner se encuentran una noche en el local de la Unión Israelita, con ocasión del baile ofrecido por la Sociedad de Vendedores Ambulantes. Singer le comunica que ha resuelto radicarse en Lima, pues ha descubierto que peligra la vida en su antiguo oficio.

Al enterarse de que Jacobo Lerner sigue de vendedor ambulante por las calles de la ciudad, Singer le propone instalar, en sociedad, una casa de cita. Así, la noche del 15 de febrero, cinco meses después de su segundo regreso a Lima, Jacobo asiste a la inauguración de su prostíbulo, sito en el barrio de La Victoria. Temeroso de provocar la ira del rabino, Jacobo ha guardado absoluta reserva sobre la apertura del negocio. Sin embargo, Singer ha invitado a la inauguración a algunos paisanos solteros de la Colonia.

En febrero de 1931, la junta militar de Sánchez Cerro deja el mando a disposición del venerable prelado Monseñor Mariano Holguín, obispo de Arequipa, encargado interinamente del Arzobispado de Lima. En marzo, la Junta de Gobierno, presidida por don Elio Samanez Ocampo, convoca a elecciones bajo voto secreto y entrega la Presidencia a Sánchez Cerro, en favor de su adversario Haya de la Torre. Sánchez Cerro declara guerra a leguiístas y apristas. Se produce un atentado contra Sánchez Cerro en Miraflores.

Se efectúa en el cementerio israelita de Bellavista una ceremonia religiosa, con motivo de la colocación de una lápida sobre la tumba del que fuera miembro activo de la Sociedad, señor Daniel Abromowitz, fallecido el 17 de octubre de 1930.

La viuda de Abromowitz hace una donación de cincuenta soles a beneficio de la Sociedad.

Se celebra la ceremonia de entrega del "Sefer-Tora". La ceremonia presenta momentos de intensa emoción, que embarga a todos los participantes de este acto. Adornado el local y el patio con iluminación especial, se da principio a la ceremonia. Se aparece don Jacobo Lerner con el "Sefer-Tora" en los brazos. Es recibido en la calle por gran parte del público, a cuya cabeza marchan varios correligionarios portando velas.

En el momento de la entrada al Gran Salón, estalla la orquesta con los primeros acordes del Himno Nacional, que es coreado por todo el público con gran fervor. Acto seguido, don Jacobo Lerner hace entrega del "Sefer-Tora" al rabino Schneider, quien pronuncia, en hebreo, unas palabras de agradecimiento.

Luego el señor Marcos Kaplan improvisa un breve discurso, en el cual hace votos porque el presidente de la Unión Israelita, señor Moisés Lerner, se restablezca de su dolencia con la mayor prontitud.

REPUBLICA PERUANA
Concejo Distrital de Chepén
Registro de Estado Civil y Estadística
NACIMIENTOS
Partida No. 274:

Hoy, a las nueve de la mañana del día sábado seis de marzo de mil novecientos treinta y uno se presentó ante esta Alcaldía del Concejo de esta ciudad, don Samuel Edelman Rosenblat, de treinta y nueve años de edad, de estado casado, natural de Vinnitsa, domiciliado en Chiclayo: Lizardo Montero, 504, y manifestó que el día quince de diciembre de mil novecientos veinticinco había nacido un niño de raza blanca a las tres de la tarde en Chepén, en la calle Lima No. 143 y que llevará por nombre: EFRAIN, hijo natural de don Jacobo Lerner Roseman, de treinta y ocho años de edad, de raza blanca, de estado soltero, natural de Staraya Ushitza y de profesión comerciante y de doña Virginia Wilson Alvarado, de veinticinco años de edad, de raza blanca, natural de Chepén. xxxxxxxxxxxxxxxxxxxxxxxxxxxxxxxxxxx

-x-x-Presentó como testigos a don Manuel Polo Miranda, de cincuenta años de edad, de estado casado, natural de Chepén y de profesión hacendado y a don León Mitrani, de treinta y ocho años de edad, de estado soltero, natural de Staraya Ushitza y de profesión comerciante. xxxxxxxxxxxxxxxxxx
-x-x-En fe de lo cual firmaron el Alcalde, el Inspector, el Jefe de la Sección, el Declarante y Testigos.x-x-x-x-x-x-x-x-x-x-x-x-x-x

Pablo Morales Santisteban ALCALDE	Julio Arana Ríos INSPECTOR
Antonio Paredes Sosa JEFE DE LA SECCIÓN	Samuel Edelman R. DECLARANTE
Manuel Polo Miranda TESTIGO	León Mitrani TESTIGO

Se asienta esta partida por orden judicial y por decreto del Sr. Alcalde. xxxxxxxxxxx
-x-x-Chepén, seis de marzo de mil novecientos treinta y uno.

XV

Efraín: Chepén, 1934

Abuelo nos trajo la noticia a casa, pero yo ya lo sabía que cuando volví del cine esa tarde entró como una tromba, gritando que el viejo Mitrani se había muerto, porque estaba como asustado el abuelo y dijo que los guardias estaban en su casa. El doctor Meneses dijo que lo habían envenenado y no se sabía si la culpa era del boticario o si el veneno se lo había dado su mujer, entonces la Lucinda se salió al rato a la calle diciendo que iba a ver al Manuel en la botica, que cómo le iban a echar a él la culpa encima cuando quién no sabía que la ciega estaba loca. Tampoco sé por qué armó tanta alharaca porque el Manuel no sabe nada y yo soy el único que sabe la verdad de todo, aunque la abuela "no, que me dijo el doctor que se murió de cólico y su muerte es obra del Señor. . .".

Ni caso me van a hacer si se lo digo así mejor me callo, que ya todos me tienen ojeriza y se me quedan mirando con los ojos bien abiertos como siempre me mira la Virginia, porque un día van a devorarme vivo y no va a quedar de mí ni el pellejo, sólo huesos blanquitos desparramados por toda la casa, que los van a pisotear como unos cochinos porque a quién le importa. . .

Pero si los entierro en el corral entonces a lo mejor crece un árbol bien verde para que dé duraznos, porque no los voy a plantar junto a los chanchos para que se los coman. . .

Entonces de mí nadie se acuerda, ni la tía Francisca que ya casi ni me viene a ver porque dice que el tío Pedro se le ha puesto muy enfermo y se le va a morir, y cuando se muera no sé si van a poder enderezarle el cuello. Dice el abuelo que los muertos se dejan hacer todo porque se les acaba la fuerza y están ahí bien tiesos como estuve yo esa tarde en la iglesia, sólo mirando todo lo que pasa en torno aunque los ojos los tengan cerrados de tanto dormir sin poder moverse ni nada, pero también pueden oír si alguien les habla pero no pueden decir nada, porque dice que hace meses que el tío Pedro no sale de la cama y no quiere levantarse ni para orinar, que dice la tía Francisca que se orina en las sábanas y hay una peste de los diablos en toda la casa, que ya no creo en ellos y eran puras mentiras de la tía Francisca cuando quería meterme el susto encima, porque no quería que fuese como mi padre, pero ahora ni eso que ni siquiera viene a verme para llevarme a la iglesia, porque ella se va sola no como antes que venía y me vestía y me llevaba a la iglesia tempranito porque yo era monaguillo y tenía que ayudarlo al padre Chirinos con la misa.

Pero ahora el padre tampoco quiere que lo ayude más y hace tiempo que ya no viene a verme, no sé por qué será porque antes siempre me quería mucho, y seguro tiene vergüenza ahora porque lo vi esa noche en la plaza en medio de la chusma cuando mataron al señor Mitrani, pero a nadie voy a contarle la verdad mientras viva porque ya nadie me cree lo que digo, como esa vez que le dije al abuelo que había un hombre flotando en el río y yo lo seguí por todo el pueblo para verle la cara porque estaba boca abajo con el cuerpo extendido que parecía una cruz y el agua lo arrastraba despacito, y yo gritando pero nadie acudía a mis llamados. Fui a decírselo al abuelo y él empezó a reírse que eran historias mías y que ya se las conocía de memoria, pero después yo me reí más fuerte de verle la cara cuando lo sacaron del agua porque era Antonio el borracho que se había ahogado y tenía la cara hinchada como una pelota de fútbol con el cuero viejo de las patadas. Y la verdad es que los mentirosos son ellos que siempre me están metiendo cuentos, porque dicen que un día me fui al río solo y me metí en el agua por el lado de la compuerta, justo en el sitio donde empieza a formarse el remolino y donde está la roca grande ésa en el medio. Dijeron que lo había hecho a propósito, pero seguro que me estaban engañando porque de eso no me acuerdo nada, cuando la que quiso matarse es la Virginia, ni tampoco me acuerdo que fui a la iglesia a darle patadas a la virgen como me acusó el padre Chirinos y se lo dijo a la tía Francisca que me encontró gritándole puta y que por qué había abandonado a su hijo. . .

Y sólo por eso ya no me dejan salir a la calle solo. Hace tiempo que falto a la escuela y doña Angelita ni siquiera pregunta por mí porque Ricardo no me dice nada cuando viene del colegio ni viene a verme tampoco, y la tía Francisca se queda todo el tiempo metida en su casa y se la van a comer los chinches, que ya tiene la cara llena de huequitos, porque los chinches se le han metido en el cuerpo y se le salen por el pelo, como a la abuela que estaba siempre llena de piojos que se la comieron y ya no vive en esta casa.

Ellos que sigan creyendo lo que les dé la gana, porque solamente yo sé la verdad y a nadie se la digo.

Lo linda que fue la película esa tarde, pero muy triste también. Me hizo pensar en mi padre y en el señor Mitrani, porque cuando le dije a la Virginia que había visto a mi padre en la iglesia, entonces ella comenzó a reírse otra vez y que me iba a llevar al brujo para que me sacaran esas locuras de la cabeza, pero la tía Francisca se puso a gritarle que eso era un sacrilegio que solamente hacen los herejes, porque ya iba a ver cómo yo me curaba con la ayuda de Dios que no abandona nunca a sus hijos.

Se vino con nosotros la china Chang que sabe de esas cosas y viajamos en un camión toda la noche hasta que llegamos a un desierto y había mucha gente alrededor de una hoguera con las llamas bien coloradas que salían chispas y un viejo dando saltos con unos huesos en la mano y también daba alaridos que me pusieron los pelos de punta, pero la Virginia dijo que era el brujo y no debía tenerle miedo porque era muy bueno y me iba a ayudar, que en una olla grande estaba preparando una bebida que me la tuve que tomar y vomité del asco, pero la Virginia abriéndome la boca para que me la tomara toda, porque todos los malos espíritus se me iban a salir del cuerpo, y ella también se la tomó pero no vomitó ni nada.

Por la mañana nos regresamos al pueblo yo vomitando todo el camino porque me temblaba el cuerpo. . . y ya la Virginia no se ocupa más de mí; dice que no tengo remedio y el doctor Meneses tampoco viene a verme, porque el abuelo dice que estamos malgastando la plata y lo mejor es que me dejen solo y que haga lo que me dé la gana menos salir de la casa, donde solamente la Tere se queda todo el tiempo desde su desgracia, porque entonces se me acerca y se pone a acariciarme el pelo, que dice que le doy mucha pena y entonces se pone a llorar y otra vez se mete en la cama y me ordena que me quede quieto porque ya no me deja que me acueste a su lado ni que le haga cosquillas por el cuerpo como antes. Ni siquiera la Lucinda puede sacarla de la cama por más que le diga que la van a mandar al reformatorio si no se levanta.

Por eso la Tere me da lástima porque no tiene culpa de nada, que ni tampoco César pudo hacer que al alcalde lo metieran preso por lo que hizo y ya no vive en nuestra casa porque le daba vergüenza vivir en el pueblo, y tenía razón el abuelo porque al alcalde no le hicieron nada y él sigue vendiéndole sus cosas que sólo le importa la plata y ya nadie se acuerda de la desgracia de la Tere, sólo la abuela que se fue hace poco de la casa, una noche cuando metió su catre y sus baúles en una camioneta y se fue a vivir con su hermana en Cajamarca, y dice que no vuelve más porque el abuelo no quiere vender sus casas, pero si se nos muere un día de éstos entonces nos vamos todos a Lima para que yo vea a mi padre, porque va a venir a buscarme como la vez pasada y entonces me saca de esta casa que ya nadie me habla, ni el Ricardo, porque la Lucinda le dice a cada rato que no se junte conmigo porque a lo mejor va y se contagia.

Por eso ya no digo nada, que cuando le dije a la tía Francisca que había hablado con mi padre en la iglesia, me contestó que no andara diciendo tonterías porque me van a llevar a Trujillo como a la Matilde que se le murió su hijo, porque ahora sí que va a caer la maldición sobre este pueblo. Un día toda el agua se va a salir por la compuerta y vamos a morirnos todos ahogados y nos van a comer vivos los cangrejos y ni el padre Chirinos se salva, porque lo triste que estuvo la cinta que me hizo llorar.

Cuando salí del "Alfa" vi cómo estaba toda la gente en la calle frente a la casa del señor Mitrani y estaba abierta la puerta y el señor Mitrani estaba junto al alcalde, y el alcalde le preguntó si de verdad era el rey de los judíos y el señor Mitrani no le respondió nada porque solamente se reía con la boca abierta y los ojos muy tristes, entonces el alcalde le preguntó a la gente que qué debía hacer con ese hombre que se llamaba a sí mismo el rey de los judíos, y todos le contestaron que debían crucificarlo.

Entonces el alcalde pidió que le trajeran una palangana llena de agua y se lavó las manos delante de toda la gente que no dijeron nada y los guardias lo cogieron al señor Mitrani y lo desnudaron y le echaron encima un manto granate y le pusieron sobre la cabeza una corona tejida de espinas y una caña en la mano derecha. Los guardias se arrodillaron delante de él y se burlaban haciéndole venias y llamándolo rey de los judíos. El señor Mitrani sólo se sonreía ahora y los miraba con los ojos muy tristes de la pena, y entonces los guardias lo escupieron y comenzaron a golpearlo en la cabeza con la caña y se lo llevaron por las calles con una cruz al hombro.

El señor Mitrani no podía caminar con su pierna coja y ni siquiera tenía su bastón, y toda la gente del pueblo estaba allí y el alcalde les decía a los guardias que le pegaran con el látigo y cuando llegaron a la plaza lo pusieron en la cruz y le clavaron una lanza en las costillas y ahí lo dejaron sangrándose.

Yo entré corriendo en la iglesia a rezar que sabía ese día iba a venir mi padre a verme, que solamente podía ser en la iglesia que en mi casa no, porque en mi casa no lo quiere nadie, ni siquiera la tía Francisca que ahora tampoco me dice que no tengo padre y se sigue santiguando cada vez que le pregunto si es verdad que mi padre vive en Lima y si un día de éstos viene a verme y me lleva a su casa. Por eso fui a esperarlo en la iglesia, que toda la gente estaba en medio de la plaza, y entonces me puse a rezar bien fuerte para ver si me oía mi padre hasta que me cansé y me acosté en el suelo. Estaban las locetas frías igual que la lápida de la mamá del boticario y luego me dormí pero me desperté al rato porque entraron unas gentes que nunca había visto antes, pero sí reconocí a mi padre vestido todo de negro y se me acercó con un ramo de flores rojas en la mano, pero yo estaba tieso sobre el suelo y no podía moverme pero él se daba cuenta de que yo quería hablarle, y entonces mi padre se puso a llorar y en mis adentros yo le pedía que no llore y el padre Chirinos también le rogó que no llorara, pero mi padre seguía llorando porque dijo que ahora ya no podía llevarme a Lima que para eso había venido y yo estaba ahí todo tieso como un muerto.

Entonces se fueron todos y otra vez me dejaron solo en la iglesia y vi que ya podía moverme y me salí corriendo a la calle y la gente seguía en la plaza. Mi padre pasó de largo sin mirar al señor Mitrani clavado en la cruz y ahí lo dejaron. Le chorreaba la sangre por el cuerpo y los que pasaban delante de la cruz lo insultaban y le gritaban que si podía volar entonces por qué no se bajaba de la cruz.

De repente la tierra empezó a moverse y todo se hizo más oscuro y me regresé a mi casa, que cuando volví por la mañana a la plaza el cuerpo del señor Mitrani ya no estaba allí, porque seguro que se fue volando al cielo igualito como la vez pasada que voló desde el techo de su casa ese domingo, que yo sé que sí voló aunque digan en la casa que se vino derechito al suelo y se rompió todos los huesos.

Y cuando vea a mi padre se lo voy a decir que el señor Mitrani ya no vive en este pueblo, que se fue volando despacito al cielo.

TRIBUNA LIBRE

Lima, 13 de mayo de 1933

Señor Director de "Alma Hebrea"
Estimado amigo:

Hace unas cuantas semanas fuimos visitados en nuestros domicilios por miembros de la Sociedad Sefardí, con el fin de solicitar nuestro óbolo para la construcción del local propio de esa sociedad. Pues bien, aunque nosotros no somos sefardíes, no pudimos negar nuestra contribución, e hicimos un esfuerzo y donamos, cada uno, a medida de nuestras posibilidades, haciendo algunos de nosotros grandes sacrificios para no quedar mal con nuestros hermanos sefardíes.

Claro que todos nosotros esperábamos que la Sociedad Sefardí publicara una lista de los contribuyentes, desde luego no por figurar en ella, sino para tener así la satisfacción de saber con seguridad, que el dinero que hemos donado había llegado a su destino, y que había sido empleado para el fin que se nos dijo.

Sin más, le saluda atentamente, su amigo

MOISÉS LERNER

SOBRE EL ORIGEN JUDIO DE HITLER

Según una investigación practicada por un diario de Praga, que tiene todas las apariencias de seriedad, el bisabuelo de Hitler, el sangriento y pintoresco dictador que tiene en sus manos el destino de Alemania, habría sido judío. Mordejai Hitler, que así se llamaba el antepasado del "bello Adolfo", renegó de su fe en el año de 1827. A un siglo de esa defección, uno de sus descendientes había de ser el más grande traidor que Israel tuvo en su largo martirologio.

Es digno de compasión el pobre señor Hitler, a quien la sombra de su bisabuelo Mordejai le viene a perturbar la fácil gloria alcanzada. El, que se imaginaba heredero directo del dios germánico Wotan, verse obligado a descender del Walkala a un miserable ghetto judío de Austria. ¿Hay algo más ridículo y más trágico para un dictador que funda su doctrina en la fuerza de la raza teutona y en el exterminio del judaísmo? Le compadecemos de todo corazón, señor Adolfo Hitler, canciller alemán, organizador del Tercer Imperio y enemigo jurado de la raza que dio a Moisés y Jesucristo y arrojó a Mordejai Hitler por escoria indigna de compartir tan ilustre alcurnia.

La Redacción

DE TODO EL MUNDO

LOS EFECTOS DEL HITLERISMO

Berlín.—La sistemática y encarnizada campaña de odio contra los judíos de Alemania, tiene por efecto que los israelitas de ese país intolerable, dirijan sus miradas hacia Palestina. Es así que la Oficina de Inmigración está recibiendo todos los días, desde que comenzó la nueva propaganda antisemita, numerosas cartas en que se solicita información sobre la posibilidad de instalarse allí.

EL ANTISEMITA RUMANO DANILO PREDICA AMOR A LOS JUDIOS

Bucarest.—Ha causado honda sorpresa la declaración de H. Danilo, líder de la organización antisemita "Guardia Férrea", de que desiste de sus opiniones anteriores predicando amor a los judíos. En varios mitins celebrados recientemente, Danilo ha expresado que el antisemitismo envenena a la juventud campesina y a los estudiantes, causando grave daño a la totalidad de la población.

"El país entero, incluso nuestros hermanos judíos", dijo, "creen todavía que yo organicé el pogrom de Borscha. No es verdad. Ni yo ni mi colega Berindli hemos sido jamás antisemitas y espero que tampoco lo seamos en el futuro".

Los judíos de Besarabia sospechan que la actitud de Danilo es fruto de cálculos políticos. Dado que Danilo se ha afiliado al partido nacionalista, se cree que procura por tales medios ganarse los votos de los judíos en las próximas elecciones.

Crónicas: 1932-1933

En la madrugada del 1º de Septiembre, el Alférez Díaz, con dos piezas de artillería, se instala en una isla frente a Leticia, a una distancia de más o menos 1500 metros sobre el río Amazonas. El Alférez La Rosa, llevando el resto de la gente y una ametralladora pesada, desembarca en Leticia. Emplazada la ametralladora, manejada personalmente por el Alférez La Rosa, dispara una ráfaga y se atraca; el alférez ordena entonces que avancen los fusileros.

Los colombianos contestan débilmente al fuego, hasta que el Intendente Villamil, juzgando inútil mayor resistencia, hace sacar por el balcón de su casa, una bandera blanca.

Entonces se ordena izar el pabellón peruano y se notifica por radio cifrado a Iquitos de la toma de Leticia. Luego se hace saber a los habitantes que la población ha sido reintegrada al territorio nacional.

En la mañana de un cálido domingo de primavera, a la hora en que llaman a misa las campanas de la iglesia, Samuel Edelman se aparece en Chepén con un maletín de cuero en una mano y un grueso atado de revistas bajo el brazo. Al bajar del ómnibus, se encamina directamente hacia la casa de León Mitrani, quien lo recibe en mangas de camisa. Mitrani tiene puestas las filacterias: una delgada cinta de cuero le serpentea el brazo izquierdo; sujeta entre el índice y el pulgar un diminuto cubo de madera forrada en cuero, que contiene un trozo de pergamino en que van inscritos algunos pasajes de la Biblia. Otra cinta igual le rodea la frente y remata en otro cubo de las mismas dimensiones, material y contenido que el anterior. Le cubre le cabeza y parte de los hombros un manto blanquinegro, adornado de gruesos y estilizados caracteres en hebreo.

Malhumorado porque Edelman le ha interrumpido sus rezos matinales, Mitrani lo hace pasar con gesto áspero a una habitación donde el sol se filtra a duras penas por las ranuras de una ventana clausurada. Sin malgastar tiempo, Edelman le informa que ha traído consigo varios números de la revista *Alma Hebrea.* Luego coloca el maletín sobre la mesa, toma una de las revistas, la acerca a la luz, lee en silencio algunos párrafos para refrescarse la memoria y le refiere a Mitrani el producto de la lectura: la situación de los judíos en Alemania es calamitosa; miles de judíos han sido desalojados de sus casas, despojados de todas sus pertenencias y maltratados física y mentalmente. La situación empeora cada día; numerosos establecimientos hebreos han sido cerrados por la fuerza; a los médicos y abogados judíos se les tiene prohibido ejercer su profesión. Los nazis se lanzan a la calle gritando: "¡Juda, verrecke!", y donde encuentran un judío, lo desnudan y lo persiguen a golpes por las calles.

No bien Edelman termina de participarle la noticia, cuando León Mitrani se pone intempestivamente de pie y exclama solemnemente: "¡Mis profecías han empezado a cumplirse! ¡Pronto entrarán los alemanes en Chepén!".

En 1933, el expresidente de la Junta de Gobierno, Comandante Jiménez, muere en un conato revolucionario.

El día 30 de abril, el presidente Luis Sánchez Cerro hace acto de presencia en el hipódromo de Santa Beatriz para revistar a las tropas. Al terminar la revista, regresando Sánchez Cerro en coche descubierto, un terrorista le descarga muy cerca de su pistola. Mortalmente herido, se le conduce al Hospital Italiano, donde fallece poco después.

Samuel Edelman se aparece en Chepén un sábado por la mañana y va a hospedarse en la casa de León Mitrani. Hacia el mediodía, mientras Mitrani se halla ensimismado en sus rezos habituales, se oyen los acordes de una marcha militar. Mitrani interrumpe sus oraciones y se lanza a la calle seguido de cerca por Edelman. Una vez en la calle, ven a un pelotón de soldados armados que marcha detrás de una banda militar. Al verlos, León Mitrani se pone a gritar a voz en cuello: "¡Los alemanes! ¡Aquí están los alemanes!". Luego se mete corriendo en la casa y va a esconderse en la buhardilla. En vano Edelman intenta hacerlo salir de su escondite. No puede convencerlo de que los soldados son peruanos y que están de paso por el pueblo rumbo al norte.

El 26 de mayo las tropas colombianas atacan la guarnición de Güeppi en la banda peruana. Los peruanos se dispersan a medida que va creciendo el bombardeo de los aviones. Sólo un oficial, el teniente Teodoro Garrido Leca, se planta a la defensiva hasta ver caer su última ametralladora. Muertos peruanos: 15; heridos y prisioneros: 30; colombianos: 5 muertos y 10 heridos.

El Congreso nombra Presidente de la República al General Oscar R. Benavides.

La Colonia judía decide obsequiar a la Cruz Roja Peruana un carro ambulancia para el transporte de heridos. Durante la ceremonia de entrega, el señor Moisés Lerner, presidente de la Unión Israelita, pronuncia el siguiente discurso:

> Señor Presidente de la Cruz Roja Peruana
> Señoras y señores:
>
> Fecha grata y memorable es para nosotros los israelitas residentes en el Perú, país que consideramos de hecho nuestra patria, la del día de hoy, al hacer entrega a la Cruz Roja Peruana del carro ambulancia que aquí vemos.
>
> En nombre de la Colonia Israelita, tengo el grande honor de hacer entrega de este carro ambulancia a la muy distinguida comisión de

recibo aquí presente, quedando satisfecho de haber contribuido, aunque sea con un grano de arena, al progreso y desarrollo de la humanitaria labor en que se halla empeñada la Cruz Roja Peruana, en pro de un Perú más grande, de esta amada patria a la cual pertenece de corazón todo israelita que en ella reside.

¡Por el Perú, señores!

¡Por su digno Presidente y por la Cruz Roja Peruana! He dicho.

XVI

Juana Paredes:
Lima, Diciembre 21, 1935

Ganas de quedarme acostada todo el santo día, sueño horrible el de anoche, que ya me perdí la misa de las ocho y si no me apuro me voy a perder la de las nueve, después la confesión con el frío que hace a estas horas en la iglesia, lo mejor no verle la cara al padre Dávalos. . .

Frío de cementerio es lo que es, como en el sueño, de nicho blanco de mármol, el cuerpo entumecido lo tengo, el frío se cuela por las rendijas del confesionario.

Las pastillas que me dio el boticario no sirven para nada, ¿me estaré poniendo vieja?, la primera señal de la vejez es la fatiga, me dijo el boticario anoche, porque lo que pasa es que hace días que no duermo, toda la noche pensando, de tanto pensar me explota la cabeza y si duermo, sueños malos como el de anoche, que eso no es dormir ni nada.

Se lo voy a decir al boticario y que me devuelva la plata, hay muchos gastos en esta casa que con siete muchachos y todo, lo que me pasa Jacobo no llega a fin de mes, el Marcos no le dejó a la Delia más que deudas, hasta la máquina de coser la hemos tenido que vender y ahora andar vestida como una pordiosera, por lo menos antes me hacía yo misma los vestidos, porque a Jacobo nunca le pedí que me comprara nada, que siempre hay que estar pidiéndole fiado al chino de la esquina que yo ya no voy porque me da vergüenza y mejor que mi hermana se pelee por un poco de comida que a fin de cuentas son sus hijos.

¿Qué va a pasar cuando se muera? Ya se lo dije a la Delia que pase lo que pase nos las arreglaremos y que no les vaya a pedir limosna a los judíos ésos que no nos deben nada ni nosotros tampoco les debemos . . . porque no creo que Jacobo sea tan ingrato como para no dejarnos nada, en la calle nos vamos a ver porque de nosotros ¿quién se acuerda?

Con poco me conformo, una pequeña mensualidad que para él no es nada, que a donde va no se llevará la plata ni los muebles de la casa tampoco, que lo ayudé a amueblarla, que una mujer es lo que necesitaba en esa casa siempre fría, porque tampoco va a poder abandonar a los hijos de Marcos en la calle por más que diga que no son judíos . . . después de todo desperdicié los mejores años de mi vida a su lado, porque seguro que se acordará de mí en su testamento, que ahora ya no lo voy a ver porque me cerró la puerta en la cara, no se vaya a creer que soy una cualquiera y lo único que me interesa es su dinero.

¿A quién se lo va a dejar de todos modos?

Plata jamás se la pedí. Aunque me la tenía más que merecida y dice la Delia que no sea idiota y que vaya a reclamarle lo que es mío por derecho propio, pero ya se lo dije que no tiene de qué preocuparse, que Jacobo tiene un corazón de oro y cuando se murió Marcos no tenía que darnos nada si no quería, pero por compasión y por bondad lo hizo y también se lo había prometido a Marcos antes de morirse.

Ya debe estar por llegar la Delia de la iglesia y entonces va a empezar otra vez con la misma cantaleta, que fuera mejor que se ocupara de sus cosas y me deje en paz porque consejo no se lo he pedido. Pero si me visto rápido entonces salgo antes de que venga y me escapo y ya puedo quedarme en paz hasta la tarde, que entonces se reúne toda la familia y otra vez comienzan a preguntarme dónde está la plata que me dio Jacobo, porque ya no me aguanto más estos domingos desde que Jacobo se enfermó, no como antes que me iba a su casa por la mañana y me pasaba todo el día escuchando la victrola y me servían como a una reina, que la sirvienta me tenía que decir señora y se moría de la envidia, porque seguro se creía la dueña de la casa. De todo me hubiese encargado yo si él hubiese querido y no habría tenido que pagarle un solo centavo a esa vieja que no servía para nada, porque cuando se muera Jacobo, se lo va a robar todo y nadie va a estar ahí para pedirle cuentas.

Vaya una a saber lo que Jacobo tenía en la cabeza, que qué diría Marcos, que qué iba a decir la Delia, cuando también ellos vivían amancebados y todo el mundo lo sabía, porque el padre Dávalos vino a exigirle que se case y después Marcos lo sacó corriendo de la casa, porque para darle hijos la Delia estaba bien, pero no para hacerla su mujer conforme a la ley, así que ningún derecho tiene de reprocharme lo que hice y si quiere decirme algo que se las aguante bien. . .

Como si a la Delia le hubiese importado tampoco, que apenas lo conocí a Jacobo a las dos semanas se las ingeniaba para dejarnos solos en la casa. Ella se iba con Marcos y los chicos en el taxi y no se aparecían hasta la noche, y cuando entraba en la sala me echaba miradas y sonrisitas de cómplice como si lo entendiera todo, porque lo colorado que se ponía Jacobo de la vergüenza, pero en realidad mi hermana no entendía nada: él siempre se portaba conmigo como un perfecto caballero y me trataba como una dama y jamás se atrevió a tocarme un pelo en esa casa y ninguna libertad se tomó nunca, que tampoco se lo hubiera permitido porque no soy una cualquiera y él se hubiera pensado que con todos me dejaba . . . porque un timorato es lo que era, ¿miedo de qué tenía? No sé, pero me tocó a mí tomar la iniciativa, que si no, ahí estaríamos todavía sentados como dos muñecos en la sala.

Cuando comenzamos a vernos en su casa si no es por mí no llega a ponerme una mano encima. Y después la Delia preguntándome que cuándo nos casábamos, que yo estaba contenta como estaba, pero si Jacobo me hubiese propuesto matrimonio tampoco lo habría rechazado porque tonta no soy, aunque nunca me hice ninguna ilusión de ser su esposa y ahí tengo a Dios como testigo.

Pero ya es demasiado tarde para ponerme a pensar en esas cosas, ahora lo mejor es irme a la iglesia y confesarme, que hace mucho tiempo que no voy, pero ¿qué es lo que me va a decir el padre Dávalos? "Caminemos con Jesús hacia la muerte sin miedo, pues la muerte no es el fin de todo; morir es nuestro destino, pero morir con Jesús y como El, por los demás, es vivir la vida que no termina . . . ", pero la vida de Jacobo se termina ahora y la verdad es que debí haber seguido sus consejos, pero ¿qué sabía el padre Dávalos de lo que yo sentía por Jacobo?

Entonces no voy porque empieza a hablarme mal de los judíos, sólo porque Marcos jamás le hizo caso y el padre lo enterró de mala gana y le dijo a la Delia que ahora por fin se vería libre del pecado.

Entonces a mí me va a decir lo mismo y lo mucho que se va a alegrar de que Jacobo se esté muriendo, pero no le voy a dar el gusto al diablo, mejor me quedo en cama toda la mañana, que seguro Jacobo ya está muerto y yo sin enterarme de nada, porque sueño espantoso el de anoche. Vi a Jacobo en un camino angosto y subía peña tras peña hacia un abismo de donde se arrojaba de cabeza al vacío y no llegaba al fondo sino que se esfumaba en el aire, pero entonces lo vi otra vez en medio de un campo lleno de árboles sin hojas y, de repente, cambiaba todo el paisaje y Jacobo estaba en el fondo del mar y vi cómo un sol rojo descendía sobre su cabeza, que tenía la cara pálida como de un muerto y miraba hacia mí por debajo del agua con un enorme ojo azul verdoso y su mirada era fría pero también llena de afecto, triste pero también alegre, y Jacobo empezó a hacer gestos como llamándome y yo comencé a caminar de espaldas y me fui alejando más y más que ya no podía ver nada, hasta que llegué a un pasadizo con hileras altas de nichos y había un nicho abierto y adentro sin ataúd ni nada el cadáver desnudo de Jacobo. . .

La Delia me va a decir que es una señal de que Jacobo ya se ha muerto, porque allá él si no me quiere ver que Dios sabe que jamás me he metido en sus asuntos, ni nunca le dije nada por lo del prostíbulo, que a mí no me importaba y se lo dije a la Delia que eso era mejor que estar metido de taxista, porque de nada me quejo ni me arrepiento tampoco, que todo lo hice con los ojos bien abiertos y ni una pizca de vergüenza por lo que hice nunca.

Mi hermana que no se atreva a amonestarme ahora, que ningún derecho tiene y mi situación es mil veces mejor que la de ella, porque ¿qué sacó de vivir con Marcos Geller?

Suerte la suya de ir a amancebarse con el único judío pobre de Lima, que lo único que hizo fue llenarla de hijos y dejarla en la miseria, mientras otros judíos se llenaban de plata y el pobre Marcos de taxista.

Al menos distinta hubiese sido mi vida con Jacobo con un poco más de suerte . . . pero seguro que de sólo ver a Marcos empobrecido y enfermo, con sus hijos que ni siquiera eran judíos, a Jacobo le entraba el susto al cuerpo, porque eso es lo que siempre fue, un asustado de la vida. Había que verlo cuando se murió Marcos, me lo tuve que llevar a la fuerza al cementerio que él no iba y le gritó a la Delia que debían darle un entierro de judío, pero cuando vio que mi hermana por nada del mundo iba a ceder, entonces aceptó pagar todos los gastos porque lo que importaba era enterrarlo y no le quedaba otro remedio, pero exigió que a Marcos lo pusieran en un nicho.

Un disparate dijo, que los muertos se salen de la tierra y que en el nicho Marcos estaría más seguro. Entonces me acordé de lo que le había pasado a un amigo suyo en el pueblo donde está su hijo. Jacobo dijo que no se sabía por donde andaba el cuerpo y que seguro estaba vagando por los caminos sin descanso.

Ninguno de sus amigos vino al entierro, Jacobo fue el único y se pasó toda la ceremonia con la cabeza gacha, como llorando, porque eso sí Jacobo es el hombre más tierno que conozco y después de la muerte de Marcos sólo él nos ayudó en todo, que no tenía por qué hacerlo. . . pero si ahora me voy a confesar el padre Dávalos va a ponerlo por los suelos y me va a amonestar por haber vivido en pecado mortal todo este tiempo, pero ¿qué sabe él de cómo son las cosas?

Padre, yo confieso ante Dios todopoderoso que he pecado de pensamiento, obra y omisión. . . también le hubiera dicho que no me iba a quedar toda la vida la para vestir santos, pero nunca se lo dije porque le tenía miedo y además hubiera sido perder el tiempo.

Todos los días la Delia me azuzaba pídele al menos que te ponga casa, pero ¿cómo iba yo a descender tan bajo? En eso Jacobo tenía la palabra, pero jamás me dijo nada ni me lo prometió tampoco, porque ¿acaso no le obedecí en todo? ¿Cuándo me le entrometí en sus asuntos? Nunca le saqué en cara lo que conmigo estaba haciendo ni le exigía nada, pero a veces en sueños me veía como la esposa de Jacobo, viviendo en una hermosa casa, rodeada por mis hijos, visitando sitios elegantes y llevando lujosos vestidos como debe ser una señora.

Deshacerse de mí es lo que la Delia quería y la muy tonta ni se daba cuenta que si Jacobo le pasaba plata era porque yo vivía en esa casa, porque eso sí, nunca nos faltaba nada, que lujos nunca le pedí ni tampoco los hubiera aceptado porque eso habría sido vender mi cuerpo.

¿Y qué le voy a confesar al padre si voy? Padre, he pecado y punto. ¿En qué he pecado, padre? Desde hace cuatro años vengo acostándome con un infiel. Es un infiel, pero de los buenos, padre. Hombre de bien, caritativo, padre.

¿Pecado mortal? ¿Lo ha castigado Dios y se va a morir, padre? Le ruego entonces que se compadezca de él, padre. ¿Puede darle la absolución a un infiel? ¿El pecado de la carne es el peor de los pecados? ¿Nada puede hacer por él? ¿Y a mí, padre, tampoco me da la absolución? ¿En qué he pecado yo, padre? ¿Dejé que Jacobo se aprovechara de mí? ¿No se quiso casar conmigo porque no soy judía?

Ya entiendo, padre, jamás ninguna exigencia de mi parte, hizo conmigo lo que le dio la gana y si no me quería ver me cerraba la puerta como ahora, claro, siempre cerrándome la puerta, como cuando se lo llevaron a ese sanatorio, que ni siquiera supe bien que es lo que tenía, seguro el hermano mandó que lo encerraran para robarle otra vez su plata. Fueron meses de incertidumbre y espera y hasta pensé que no lo volvería a ver porque ninguna noticia todo ese tiempo, hasta que se apareció por la casa otra vez como si no hubiera pasado nada y yo como una tonta me alegré de verlo y de nuevo empezamos a vernos en su casa, sin pedirle cuentas ni nada, que tampoco me importaba porque era preferible a estarme sola en la casa de mi hermana. . .

Y Jacobo sin siquiera entender que ése era mi único interés, que desde el principio me había dicho que no me hiciera ilusiones porque él no se casaba nunca, pero sí quiso casarse con la hermana de su cuñada, porque yo nunca se lo saqué en cara y le dije haz lo que te dé la gana. Ahora no sé si la Delia hizo bien en ir a verla; se hizo pasar por mí y le contó no sé qué historias sobre nosotros. Dijo que lo hizo por mi bien porque no había derecho y que si quería casarse ahí me tenía a mí para darle hijos y cuidarle su casa.

Entonces se canceló la boda y lo que son las cosas

porque si no se hubiese cancelado no se estaría muriendo solo tampoco. Y la rabia que me da porque solamente tenía que pedírmelo para que yo me encargara gustosa de su casa sin casarnos ni nada, porque nunca le dije que quería ser su esposa y hasta un hijo le habría dado, que se pareciera en todo a Jacobo, y ahora no estaría muriéndose solo que ni siquiera conoce a su hijo, porque lo quiere traer para entregárselo a su cuñada, que cuando le dije que yo se lo cuidaría como si fuese mío, mi propio hijo, entonces comenzó a reírse como un loco y me contestó que su hijo era judío y no iba a permitir que viviera en casa de cristianos.

Pero yo se lo cuidaría no por la plata, sino para guardar un recuerdo de Jacobo, que seguro su hijo crecerá como él y será un hombre bueno en todo, porque toda su familia lo ha abandonado y el pobre se va a morir completamente solo y lo vamos a enterrar en un nicho junto a Marcos y yo voy a rezar bien fuerte para que todos me oigan y tengan piedad por su pobre alma . . . oh Dios, siempre misericordioso y dispuesto al perdón, escucha mi plegaria por el alma de Jacobo, tu siervo a quien hoy llamaste de este mundo, no la abandones en manos del enemigo ni te olvides de ella para siempre, sino recíbela con tus santos ángeles y llévala al cielo, y porque creyó y esperó en ti, líbrala de las penas del infierno y concédele las alegrías de tu reino para siempre, amén.

Si solamente me dejara ir a verlo por última vez, que seguro se va a creer que vengo a reclamarle algo, pero de todos modos voy a rezar por él un Padre Nuestro, que más no puedo hacer tampoco y ya se las arreglará él con su Dios cuando le llegue su momento, que seguro debe tenerle mucho miedo, porque un día me dijo que era cruel y vengativo, no como Jesucristo que se apiada de sus hijos, porque ¿adónde irá su alma cuando muera? Al padre Dávalos se lo voy a preguntar si hay un mismo cielo para judíos y cristianos, que entonces mejor me voy para la iglesia antes de que llegue Delia con los chicos. . . Pero ¿qué le voy a confesar al padre si voy?

Crónicas: 1934

El 14 de febrero tiene lugar un combate aéreo: aparecen tres hidroaviones peruanos y avanzan sobre una expedición colombiana que en esos momentos surca el rió en dirección de Tarapacá. Al poco tiempo se presentan tres aparatos colombianos, iniciándose inmediatamente un combate aéreo.

Dos de los aviones peruanos se retiran; el otro avión, piloteado por el Alférez Secada, continúa el combate. Secada hace varias acrobacias, luego apaga el motor simulando una caída, y a una altura de cien metros da un pique y arroja la última bomba que le queda sobre la popa del "Córdoba". La bomba no hace explosión. Luego, Secada parte en dirección de Leticia, perseguido por los aviones colombianos.

En un paraje despoblado del camino entre Chepén y Chimbote se extravía, en medio de un violento vendaval de arena, el ataúd de León Mitrani.

El 15 de febrero, a las 7.30 horas de la mañana, se

inicia una preparación de artillería desde los cruceros sobre el cerro desocupado de Tarapacá. A las 8 horas entra en acción la escuadrilla aérea. Después de una hora de bombardeo continuo, desembarcan las tropas colombianas, capturando un cañón Krupp, modelo 1894, cinco fusiles Mauser O. P., modelo 1909, un fusil ametralladora Hotchkiss No. 13 y doce cofres de munición. A las 9 horas, la bandera colombiana flamea sobre la cumbre del Tarapacá.

El 19 de junio, la Comisión de la Liga de las Naciones hace entrega del territorio amazónico a las autoridades colombianas.

De una larga y penosa enfermedad, fallece en el Callao, a la edad de 37 años, don Marcos Geller. El extinto deja mujer e hijos. Pese a las exacerbadas protestas del rabino Teodoro Schneider, la viuda de Geller ordena que los restos de su esposo sean llevados al Cementerio Presbítero Maestro, donde se les dará cristiana sepultura.

LA INAUGURACION DEL NUEVO LOCAL DE LA UNION ISRAELITA

En la noche de la inauguración, todo el público asistente quedó encantado del local. Se notaba en todos los rostros una gran alegría y contento y todos estaban satisfechos de poseer al fin un lugar tan lujoso y arreglado con gusto. Nuestro presidente, don Moisés Lerner, al declarar inaugurado el local, dio lectura al siguiente discurso, que fue bastante aplaudido:

Distinguidas damas
Señores consocios:

En nuestra reunión de esta noche festejamos el éxito de la salvación de nuestra primera institución, que estaba a punto de desaparecer para siempre; pero yo, como hombre consciente que soy, no pude dejar que desapareciera una institución que tanta falta hace a nuestra Colectividad.

Ahora, un poquito de historia: Hace mes y medio vino a mi establecimiento don Jacobo Fishman y me comunicó que ya no podíamos disponer del local en la calle Zavala, donde funcionaba anteriormente la Sociedad, porque estaba en proceso de demolición. Al día siguiente, señores, llamé a una reunión extraordinaria: vinieron 18 socios (número que, en hebreo, significa vida) y esa misma noche les hice ver la grave situación en que se encontraba nuestra Sociedad.

Inmediatamente acordamos nombrar un Directorio para encargarse de la reorganización de la Sociedad y aquí tienen ustedes lo que ha hecho el Directorio desde la fecha de su formación o sea en cuarenta días, los mismos que empleó Moisés en traernos las tablas de los Diez Mandamientos; eso sí, la Ley durará mientras exista la humanidad y yo me conformo con que nuestra Sociedad dure un poco menos. . .

Este elegante y cómodo local reúne todo lo que necesitamos: hay aquí un cuarto para que funcione el colegio *idish*, que para mí es lo primero, un salón para fiestas y una biblioteca para los socios.

Ahora espero que ustedes sabrán los esfuerzos y desvelos que he agotado en esta gran obra. Mis deseos son que sean buenos socios y no rehusen tomar parte activa en el Directorio, pues es sublime sacrificarse por el prójimo, y en especial cuando se trata de una Colectividad.

Señores: Demos un viva por el Perú, hospitalario país que nos cobija bajo su bandera.

¡Viva el Perú!
¡Viva la Unión Israelita!

DE TODO EL MUNDO

ASESINATO DE VARIOS JUDÍOS EN LA FRONTERA RUSO-RUMANA

Bucarest.—Seis jóvenes judíos de ambos sexos, cuyas edades oscilan entre 16 y 20 años, fueron heridos de muerte por los guardias de la frontera, en momentos en que intentaban cruzarla. Los diputados judíos lanzaron una interpelación al Ministro de Guerra por haber afirmado éste que las víctimas eran comunistas.

Bucarest.—Se declaró el estado de sitio en la localidad de Soroke, con motivo de la concurrencia de diez mil judíos al entierro de los seis jóvenes asesinados por la policía fronteriza. El rabino solicitó garantías de que las autoridades mantendrán el orden. Su pedido fue desatendido. Al paso del cortejo, estuvieron cerrados todos los establecimientos judíos en señal de duelo.

Viena.—Max Reinhardt, el célebre hombre de teatro, a su paso por esta ciudad, ha declarado hace poco lo que sigue: "Mi verdadero nombre es Goldman. He nacido en una pequeña aldea de Slovaquia. Nunca oculto mi religión ni mi origen. Me considero un judío practicante, y no tengo vergüenza de declarar que este año, lo mismo que en los anteriores, he ayunado en el día de Yom-Kipur. Soy creyente de corazón y de alma. Y cuando, en vísperas de Rosh-Hashana, voy a visitar la tumba de mis padres, me siento doblemente judío".

PAGINA MEDICA

LOS JUDIOS Y LA NEUROSIS

Nos interesa en este artículo la herencia nerviosa que provoca en los judíos una psicosis más moral que intelectual. Podríamos decir que los dolores morales fustigados por el trabajo intelectual excesivo produce esta psico-neurosis. Los efectos que produce este estado no se hacen esperar: cefalias, insomnios, palpitaciones, sudores fríos, transtornos gastro-intestinales y una gran depresión psíquica son el cortejo de síntomas que indican una neurastenia.

Lo que ocasiona los mayores tormentos a los neurasténicos es la ansiedad moral. Hay un estado de fobia: temores de locura, de incapacidad para la vida, aislamiento del medio, todo le provoca ideas deprimentes. En resumen, la etiología de la neurosis en los judíos, por orden de frecuencia, es la siguiente:

a) herencia neuropática

b) graves conmociones morales

c) problemas de índole sexual

d) surmenage intelectual

Es la primera causa, la herencia neuropática, la que juega un rol esencial. Los neurasténicos no quieren, aparentemente, a nadie, y para ellos más valdría estar muertos, aunque no tienen, por lo general, el coraje para suicidarse.

DR. BERNARDO RABINOWITZ

XVII

A mediados de 1934 Jacobo Lerner comenzó a presentir que había sido poseído por el espíritu de León Mitrani, que éste había venido a guarecerse en sus entrañas cual alimaña pertinaz, árida en un comienzo, inflándose más tarde con su sangre como una esponja insaciable. A partir de ese momento, su vida, antes comedida, fácilmente identificable con un solitario paseo por el Parque de la Reserva o con una tarde de amor en los brazos de doña Juana, empezó a verse disturbada por extraños sucesos, instigaciones apenas pálidas que poco a poco fueron desmoronándole el orden compacto de sus días tal y como se derrumba un sonoro castillo de arena.

Desde 1929, cuando después de su segundo regreso a Lima, desparramadas ya sus ilusiones en incesante goteo de fatalismo y de cataclismos espirituales, decidió abrir el burdel en La Victoria, Jacobo se había aparecido por la sinagoga de Breña en muy raras ocasiones. La última vez había sido cuando hizo entrega del "Sefer Tora" al rabino Schneider. Después dejó de frecuentar la sinagoga, quedando así definitivamente desvinculado de su religión, roto el único cordón umbilical que lo ataba al universo, expulsado por voluntad propia de la matriz ancestral, pues ni siquiera en la nerviosa soledad de su casa cumplía con sus obligaciones de judío, que antes había considerado sumamente necesarias para neutralizar el caos de su vida, cuyas partículas seguían repartiéndose combativamente entre el tiempo de Chepén y los años que había durado su peregrinaje sin rumbo por los pueblos del norte.

Durante esos cinco años las visitas de Jacobo Lerner a la casa de su hermano Moisés habían sido esporádicas, revestidas de un carácter casi sagrado, señales de un ficticio retorno al claustro materno, demasiado sofocantes, demasiado tortuoso su camino como para osar internarse en él con regularidad. Prefería pasar sus ratos de ocio en la casa de Marcos Geller, quien estaba casado con la hermana de doña Juana Paredes.

En compañía de Marcos, Jacobo se sentía más venturoso, más distanciado de la realidad que se había proyectado y que le pertenecía a Moisés. Visitar la casa de Marcos Geller significaba para Jacobo salir al mundo ileso, los pies firmemente plantados en los adoquines de la calle, no una figura mustia al abandonar la casa de Moisés, haciendo pausas en cada paso, inundada el alma de pasados naufragios. Estar con doña Juana era arribar a un pareje conocido, una llanura ancha como la timidez ya dispersa de Virginia. Con Juana no existía la zozobra que experimentaba al verse frente a Sara, ni la insondable ansiedad que lo desplazaba fragmentado a borrascosas y sórdidas estancias.

Después de la muerte de Marcos Geller Jacobo se había dedicado a cultivar la amistad de otros judíos que, como él, no tenían familia. Eran hombres deformados por la soledad, de efigie moldeada por sueños arraigados a las ilusiones más desmedidas. Estos hombres se reunían por lo común en el burdel de Jacobo, donde alejados de la vigilancia y la opinión de sus correligionarios, solían abandonarse en cuerpo y alma a la chillona atmósfera del prostíbulo. Allí, en noches de desenfrenada lujuria, dejaban cinceladas en los fríos cuerpos de las cortesanas toda la gravedad y alarma de sus vidas.

Fue por ese entonces que Jacobo Lerner empezó a sentir que había sido poseído por un dibbuk. Sabedor de que el dibbuk era el espíritu de un cadáver insepulto, Jacobo estaba convencido de que el alma migratoria de León Mitrani había hallado oscuro refugio en su cuerpo.

Las primeras manifestaciones de este fenómeno no se hicieron esperar. Después de dejar la administración del burdel en manos de Abraham Singer, Jacobo resolvió encerrarse en su casa, donde permanecía la mayor parte del tiempo absorto en el estudio de la Biblia y el Talmud. Durante varias semanas la realidad fue para Jacobo Lerner un círculo infranqueable y grotesco, el tiempo un tenue rumor de voces engañosas que lo hacían flotar por las habitaciones de la casa auscultando las paredes, escudriñando la oscuridad de los rincones. Sin embargo, Jacobo realizaba estos actos despejado ya de sus propias visiones, porque ahora su vida le pertenecía a León Mitrani y era él quien, tenaz, solemnemente, controlaba sus actos.

Con el tiempo, la vacuidad de su vida pasada fue llenándose de un sentido que apenas comprendía y al cual se entregó sin titubeos, porque era como sumergirse en un pozo de aguas reconfortantes y cálidas. Ungido por este fervor inusitado, Jacobo empezó a asistir a la sinagoga para participar en los rezos de la mañana y de la tarde. Vestido con las indumentarias para el rezo, realizaba a pie el trayecto de su casa al templo, conquistándose primero el asombro y luego las burlas denodadas del vecindario. Sin embargo, Jacobo no parecía advertir la presencia de aquellos que se detenían en la calle a mirarlo y a mofarse de su aspecto. Caminaba pausadamente, sosteniendo el "talis" con los puños apretados, la cabeza en alto, invadida la mente por imágenes de Chepén, reviviendo paso a paso el recorrido que solía hacer Mitrani de su casa a la tienda y, cuando vislumbraba a lo lejos el ceniciento edificio de la sinagoga, entonces apuraba el paso y respiraba hondo, alentado por la cercanía del templo. Porque para Jacobo Lerner la sinagoga se había convertido en el receptáculo de sus nuevas emociones. Allí, protegido de los inquietantes murmullos que transpiraban las paredes de su casa, Jacobo descubrió que podía entregarse plenamente a Dios.

Durante una de las fiestas religiosas que se celebraron por esa época, incitado por una fuerza misteriosa que no pudo contener, Jacobo hizo acto de presencia en la sinagoga para reprender a sus correligionarios por la vida pecaminosa que llevaban. Hacía tiempo que Jacobo vivía aterrado por la idea de una destrucción total. Tenía la cabeza infestada de escenas sobrecogedoras donde se le revelaba cómo la comunidad judía de Lima perecía abrasada por gigantescas columnas de fuego. Por tal motivo, en el segundo día de la festividad de Shavuot Jacobo Lerner irrumpió en el templo, en uno de los puntos culminantes de la ceremonia, y se puso a citar las reconvenciones hechas por los profetas, hacía milenios, al pueblo de Israel. El rabino, que se encontraba rezando de pie frente al tabernáculo, interrumpió sus oraciones. Alzándose por encima de la conmoción promovida por Jacobo, las risas estridentes y las exclamaciones de consternación por parte de los asistentes, el rabino Schneider logró persuadirlo de que abandonara la sinagoga y le rogó que se marchara a su casa. Desatendiendo el pedido del rabino, Jacobo se sentó, pensativo y exhausto, junto al portón del templo. Después de una larga espera empezó a salir la gente rumbo a sus casas; entonces Jacobo se puso de pie y reanudó sus distribas contra sus correligionarios. Con voz quebrada por la ira les instó a fijarse en el lujo de sus vestidos; les recriminó su exagerada devoción por los bienes materiales y su absoluto descuido para todo aquello que estuviese relacionado con el espíritu.

Cuando el rabino vio a Jacobo emplazado en medio de la calle con el brazo en alto, blandiendo amenazadoramente el índice cual látigo flamígero, profetizando el advenimiento del Juicio Final, un aire de zozobra le pasó fugazmente por el cuerpo y creyó comprender entonces cuál era el mal que le aquejaba. Luego se le acercó calmadamente y, con expresión bondadosa, le ofreció su ayuda. Sin embargo, Jacobo rechazó su oferta, alegando que no permitiría ser asistido por un falso representante de Dios.

Una semana después de ocurrido este incidente, Jacobo fue llevado por su hermano Moisés al consultorio del doctor Bernardo Rabinowitz. Desde que fuera desfalcado por Moisés en 1926, Jacobo había establecido una distancia infranqueable entre él y su hermano. Le había perdonado su fechoría, pero jamás dejó de considerarlo como único y verdadero gestor de su desdicha. Odiaba a Moisés, pero era un odio reprimido, contrarrestado por la necesidad de mantener un ilusorio vínculo con su pasado. Las conversaciones con su hermano, cada vez que se aparecía inesperadamente por la fría casa de la avenida Petit Thouars, se reducían a meros simulacros de una mutua y secreta aversión. Jacobo le envidiaba su posición en la colectividad, el amor de Sara y la presencia, siempre torturadora, de su hijo. Moisés, por su parte, resentía el afecto que Sara mostraba hacia Jacobo. Enfrentándose a la indiferencia de su marido, había sido ella quien le había suplicado que socorriera a su hermano. Y cuando el doctor Rabinowitz, después de larga y cuidadosa observación, concluyó que Jacobo debía ser internado en un sanatorio, entonces Moisés Lerner se felicitó por su buena suerte.

Según palabras del médico, Jacobo debía ser recluido para otorgarle el reposo que le hacía falta y evitar que cometiera un atentado en contra de su persona. Así, la tarde del 2 de junio de 1934, Jacobo Lerner fue internado en el sanatorio de Orrantia del Mar.

FIGURAS DE LA COLECTIVIDAD

MOISES LERNER

Se revela don Moisés Lerner como toda una figura de relieve en nuestro mundo institucional y será, por lo tanto, absolutamente imposible prescindir de él para todo intento de reorganización de ciertas instituciones nuestras.

Al principio, la actuación de Moisés Lerner al frente de la "Unión Israelita" despertaba recelos en ciertos elementos de esta agrupación, quienes atribuían su encumbramiento sólo al hecho de poseer una respetable posición comercial, y le hacían campaña tras de bastidores. Sin embargo, otro grupo dentro de la "Unión" lo defendía ardorosamente, pues reconocían en don Moisés una competencia, seriedad y laboriosidad singulares. Tan es así, que al poco tiempo, y merced a sus propios merecimientos, Moisés Lerner se conquista las simpatías generales de la Colectividad.

Es Lerner todo un "self-made-man", arrancado a muy temprana edad del hogar paterno en Rusia, sin haber completado su instrucción, y en el duro batallar de la vida, pasa un tiempo en Alemania y se viene al Perú, donde trabaja, lucha, y merced a su rectitud y tesón, se forja una envidiable situación comercial; forma su hogar y se radica definitivamente en el Perú, país que él ama entrañablemente.

Es don Moisés Lerner un ejemplar padre de familia, amigo leal y, en general, un hombre de bien, dispuesto siempre a socorrer al prójimo, sin distingos raciales ni de nacionalidad.

La Redacción

PAGINA MEDICA

CONSULTA:

Un pariente mío se halla en Jauja, van dos años, por prescripción médica, pues padece del pulmón, y está con el neumotórax. ¿Cree Ud., doctor, que ya transcurridos dos años, podría traerlo a Lima? ¿O cree Ud., doctor, que aquí sufriría una recaída?

ABRAHAM METZ

RESPUESTA:

Aunque el clima de la capital no es apropiado para los enfermos del pulmón, si una radiografía y el examen del esputo, indicaran haberse efectuado una mejoría, podría Ud. traerlo a un balneario como Magdalena o San Miguel, manteniendo la vigilancia médica del caso.

CONSULTA:

Seguro como estoy que usted no tendría inconveniente en hacer una consulta por escrito, dirijo a usted la siguiente pregunta:

Van varios días estoy en cama con agudos dolores en la cintura y temo es inflamación del riñón. Ultimamente he empezado sufrir del estómago, con un estreñimiento se va volviendo crónico, estando obligado recurrir específicos y purgantes para aliviarme este mal. ¿Qué debo hacer para no sufrir tanto?

JACOBO LERNER

RESPUESTA:

No es siempre el riñón el enfermo cuando duele la cintura, salvo que el resto de los síntomas o un examen de la orina demuestre lo contrario. En cuanto al estreñimiento, le aconsejo la disminución de las carnes, huevos, vísceras y chocolate, y el aumento de frutas, verduras y pan negro.

Si sólo se trata de una falta de higiene alimenticia, su intestino mejorará; de lo contrario, tendrá que recurrir a la consulta profesional.

CONSULTA:

Creo que sufro de úlceras al estómago, pues sufro de vinagreras después de las comidas y tengo ligeros vómitos después de comer: estos síntomas, creo que son úlceras. ¿Qué será, doctor?

JORGE SHULMAN

RESPUESTA:

La vaguedad de sus síntomas no permiten una respuesta categórica, que sólo sería posible previo análisis clínico y de laboratorio (jugo gástrico, deposiciones y Rayos X).

DR. BERNARDO RABINOWITZ

MÉDICO-CIRUJANO

Especialista de enfermedades al pulmón corazón y órganos intestinales.

Consultas diarias de 10 a 5 p.m.

Calle Valladolid, No. 354

Teléfono: 36200

SENTIDO HEROICO DEL ESPIRITU JUDIO

(Especial para *Alma Hebrea)*

Dentro de la historia, cada raza ha elaborado una definición del espíritu humano. Es verdad que, en síntesis, el espíritu humano es uno solo. Sin embargo, los judíos se han caracterizado por una moral tradicional, por una fe admirable, por un sentido heroico de la vida. Poseyeron y poseen esa facultad del resignio elevado. Fue por esta peculiaridad que persistió como nación sin territorio, pero con viva, vital tradición. Probaron ellos, que la fuerza de un ideal resiste a la amenaza y al castigo material, a través de las edades.

Y sin olvidar aquel fuego interno por su lar, los judíos rumbaron su vitalismo hacia la labor del cerebro en sus diversas manifestaciones, desde el puramente estético hasta las ciencias exactas. Einstein, Freud, Bergson, etc., son los exponentes de una labor provechosa múltiple: Judíos con un sentido heroico de la vida.

DR. MANUEL PAZ SOLDÁN

XVIII

Durante la estadía de Jacobo Lerner en el sanatorio de Orrantia del Mar, la única persona que solía visitarlo era su cuñada, quien, compadecida de su infortunio, había hecho la solemne promesa de no abandonar a Jacobo a su suerte. No sabía, en realidad, por qué había asumido una responsabilidad que no deseaba y que la llenaba de pesadumbre cada vez que, contradiciendo los decretos de su marido, se aparecía por el sanatorio con un ramo de flores en la mano, fingiendo un semblante optimista y aplastando en su interior la sensación de asco y fastidio que le producía el aspecto estropeado de Jacobo. Desde un principio las visitas de Sara fueron representaciones absurdas de un drama invariable. Estremecida por el tenebroso mundo al que había descendido Jacobo, Sara había determinado resistir toda posibilidad de acercamiento, replegándose con la cautela de un animal que se sabe acosado.

En una ocasión Sara Lerner encontró a Jacobo descansando a la sombra de una higuera, la espalda apoyada contra el tronco del árbol, las piernas recogidas a la altura del abdómen, las manos débilmente enlazadas sobre las rodillas, la barbilla hundida en el pecho, la mirada fija en un punto impreciso. Hacía horas que Jacobo guardaba la misma posición, imaginando estar en el huerto de León Mitrani, rodeado de secos arbustos espinosos, desatendiendo los llamados apremiantes de la ciega. Sara se sentó al lado de Jacobo, quien, aunque vagamente percatado de la presencia de su cuñada, permaneció inmóvil y sin pronunciar palabra. Sus pensamientos continuaban horadando en la espesa bruma de Chepén, pero todos los músculos del cuerpo, acuciados por la proximidad de su cuñada, se le crisparon en posición de alerta.

Compartiendo la aprensión de su cuñado, Sara empezó a hablar maquinalmente, comunicándole que el día anterior se había celebrado un agasajo en honor de Moisés. Con exagerado lujo de detalles le describió el ambiente que había reinado en la Unión Israelita y le enumeró los nombres de todos los invitados. Momentáneamente olvidada de la presencia de Jacobo, se ocupó minuciosamente de la vestimenta de las damas, elogió el gusto de unas y reprobó sarcásticamente el de otras, y se explayó, enternecida, sobre el orgullo y contento que había demostrado ese día Moisés al ver el afecto que por él sentían los miembros de la Colonia.

Al igual que otras veces, fue mínima la atención prestada por Jacobo al torrente verbal de su cuñada. Con cada segundo que pasaba, Jacobo se sumía más hondamente en regiones pobladas de siluetas apenas reconocibles, rostros y cuerpos vaporosos, contornos indefinidos de calles y casas que se balanceaban en su mente con elástico vaivén. Desde su ingreso al sanatorio, Jacobo Lerner solía permanecer la mayor parte del tiempo abismado en sus propios pensamientos, habiendo llegado a perder la noción del lugar donde se encontraba. Abrumado por la melancolía, se ponía a revivir acontecimientos y escenas del pasado. Unas veces se veía con un bastón en la mano andando por las calles de Chepén, rezando con las filacterias puestas en una habitación de ventanas clausuradas, predicando en la plaza frente a la iglesia, amonestado públicamente por el cura, vigilados sus actos por una ciega. Otras veces se veía agredido por guardias que venían a sacarlo de su casa por la fuerza y que se lo llevaban arrastrado por las calles de Chepén.

Este era un temor que mantenía vivo en el cuerpo desde la primera noche que pasó en el sanatorio, cuando se vio a punto de ser asesinado por la gente de Chepén. En esa ocasión, Jacobo, que no había podido conciliar el sueño en toda la noche, permaneció hipnotizado ante un crucifijo de yeso que colgaba sobre la cabecera de su cama. Se vio, de repente, en medio de una multitud apostada en mitad de la plaza del pueblo. Tenía un manto de tocuyo echado sobre los hombros, finas gotas de sangre le bajaban de las cejas nublándole la vista. Sin embargo, alcanzó a divisar, por encima de la marejada de cabezas cenicientas, el amenazante perfil de una cruz, alzada en medio de la plaza. Entonces Jacobo se abrió paso por entre la gente y empezó a correr hacia las afueras del pueblo, perseguido por una cuadrilla de guardias armados con látigos y garrotes.

Alarmadas por los gritos de Jacobo, dos monjas irrumpieron en su cuarto y lo encontraron acurrucado sobre el suelo, los ojos firmemente cerrados, tiritando de espanto. Una de las monjas se quedó a cuidarlo el resto de la noche. A la mañana siguiente, no repuesto aún de su experiencia, Jacobo le rogó a la monja que sacara el crucifijo de su cuarto.

Aunque este episodio jamás volvió a repetirse, el estado de Jacobo siguió deteriorándose. Ultimamente le había dado por ponerse a entablar con las monjas largas discusiones sobre ciertos pasajes del Evangelio. Con tono vehemente, Jacobo trataba de hacerles entender que en ningún momento el Evangelio culpaba a los judíos por la crucifixión de Jesucristo. Y cada vez que Jacobo Lerner se desbocaba en una de sus acostumbradas peroratas, las monjas se ponían a escucharlo con fingida atención, meneando compasivamente la cabeza, sin atreverse a contradecir sus palabras. Más tarde Jacobo comenzó a hablarles en idish; entonces las monjas lo miraban aturdidas y asustadas, pensando que se hallaban frente a un hombre sin remedio.

Como en los tres meses que duró su internamiento Jacobo no había evidenciado mejoría alguna, el doctor Rabinowitz decidió darlo de alta. Persuadido de que la ciencia médica no podía ayudar a su paciente, el médico se había puesto en contacto con el rabino Schneider para pedirle que se hiciera cargo de Jacobo. Así, el 3 de agosto de 1934, Jacobo Lerner abandonó el sanatorio de Orrantia del Mar, convencido de que el espíritu de León Mitrani continuaba habitando en su cuerpo. Acompañado por el doctor Rabinowitz, Jacobo se dirigió a la casa del rabino, quien había prometido conjurar al espíritu de León y forzarlo a buscar otra morada.

El rabino, que vivía a cuatro cuadras de la sinagoga, recibió a Jacobo con demostrado entusiasmo y consintió alojarlo en su casa todo el tiempo que durara completar el exorcismo, que, según él, era una tarea difícil más no imposible. Mientras el ama de llaves alistaba el cuarto para Jacobo, el rabino, incapaz de dominar su excitación, le confió a su huésped que hacía mucho tiempo que no se le presentaba la oportunidad de conjurar a un dibbuk. La última vez que le habían hecho tal solicitud había sido en Polonia, en 1915, cuando exorcisó a una doncella que había sido poseída por el espíritu de una ramera.

La habitación que le habían preparado a Jacobo quedaba en la segunda planta. El mobiliario era sobrio y escaso: debajo de la ventana había una vieja cama de madera y junto a ésta, sobre la pared, una repisa donde descansaba un candelabro de cobre, cuyan velas despedían un humo plomizo y una luz turbulenta. En las dos semanas que vivió encerrado en ese cuarto, Jacobo solamente vio al ama de llaves, que venía tres veces diarias a traerle la comida, y al rabino Schneider, que se aparecía todas las noches vestido con ropón y bonete negros, portando un báculo cromado que refulgía extrañamente al contacto de la luz. Entonces hacía que Jacobo se desnudara y que se mantuviera de pie en el centro de la habitación, mientras él daba vueltas a su alrededor pronunciando oscuras fórmulas cabalísticas.

A partir de la tercera noche Jacobo Lerner empezó a sentir un raro cambio en su persona. En cuanto las conjuraciones del rabino comenzaron a surtir efecto, el espíritu de Mitrani, que hasta ese instante Jacobo había albergado casi cariñosamente en su cuerpo, se volvió repentinamente imperioso. El estado de Jacobo empeoró: durante siete días y siete noches consecutivas se vio sacudido por extraños temblores. Veía grotescas figuras en el aire, el ama de llaves se le asemejaba una ciega que venía a darle de beber pociones maléficas y abrasadoras; confundía al rabino con el cura de Chepén y su báculo le parecía una cruz incandescente y siniestra. Para librarse del acoso que le producían esas visiones, Jacobo se encomendaba por las noches a Dios y le pedía que acudiera en su auxilio.

Convencido, sin embargo, de que Dios jamás atendería sus dolorosas súplicas, una noche en que se sintió asediado por un enjambre de alimañas asquerosas que se colaban por las ranuras de la puerta, Jacobo abrió la ventana, se colocó en el alféizar, extendió los brazos y arqueó las piernas para remontarse por los aires y lograr escapar de su prisión. Estaba a punto de saltar cuando lo detuvo el rabino. Entonces Jacobo pensó que Dios había intercedido en su favor y había enviado a un ángel para impedirle la huida y así permitir que el rabino completara el exorcismo.

Desde ese momento Jacobo Lerner fue recobrando lentamente su propia realidad. Rostros y lugares nuevamente reconocibles se le agolpaban en la memoria. Le volvieron las imágenes de todas aquellas experiencias que le eran familiares. Se acordó de la casa de sus padres, de una travesía en barco, de Virginia y del hijo que no conocía, de Juana Paredes y de Sara Lerner, del desfalco de Moisés, del suicidio de Daniel Abromowitz, del ambiente del burdel, del cadáver de Marcos Geller enterrado en el Cementerio del Angel. Sin embargo, estos recuerdos lo sumieron en una depresión aun más profunda, pues lo devolvían a una realidad que Jacobo no deseaba confrontar.

El 17 de agosto por la noche, el rabino Schneider consiguió por fin que el espíritu de León Mitrani abandonara el cuerpo de Jacobo Lerner por el dedo pequeño del pie derecho. Atravesados sus ojos por una llama inquieta, el rabino invocó el nombre de Mitrani y, en hebreo, le instó, afectuosamente, a abandonar el cuerpo de Jacobo. Había un tono inusitadamente familiar en la invocación del rabino, como si hubiese conocido a León en épocas pasadas. Entonces Jacobo Lerner recordó lo que León Mitrani le había relatado una tarde en Chepén. Mitrani le había dicho que en 1923, unos meses antes de la llegada de Jacobo, un rabino se había aparecido por el pueblo en burro y que se había alojado por unos días en su casa. Durante su estadía en la casa de Mitrani, el rabino le había revelado ciertas fórmulas cabalísticas para poder volar. Lo que en ese momento Jacobo juzgó ser producto de una mente desvariada, empezaba ahora a tomar sentido y a mostrársele como un hecho real. Acabado el exorcismo, Jacobo advirtió que tenía un minúsculo orificio en el dedo, de donde manaba un delgado hilo de sangre.

A la mañana siguiente, cuando se aprestaba a abandonar la casa del rabino, éste le dijo, con voz admonitora, que el dibbuk sólo poseía a aquellos que guardaban un pecado secreto y que el haber sido poseído por un alma migratoria correspondía al pago de una culpa.

SOBRE LOS JUDIOS EN EL PERU

(Especial para *Alma Hebrea)*

FRAY GREGORIO GARCIA Y SU TESIS SOBRE LOS JUDIOS COMO POSIBLES POBLADORES DE AMERICA

Fray Gregorio García, en su obra intitulada "El origen de los indios", sustenta la teoría de una posible migración judía por tierras de América. Fray Gregorio García ha tratado ampliamente las posibles vías de comunicación por donde las tribus perdidas de Israel pudieron venir hasta Groenlandia, México, Centro y Sud América.

INTERESANTES COMPARACIONES ENTRE LOS JUDIOS Y LOS INDIOS DEL PERU QUE SE ESTABLECEN EN LA OBRA:

1. La incredulidad de los indios hacia las enseñanzas de los misioneros, es punto que atribuye a atavismo judío.
2. La gran similitud en el uso de sandalias y vestidos. La cusma y pacha, o sea la túnica.

3. El empleo de ciertos ornamentos religiosos entre los indígenas y cuya confección en nada se diferenciaba de los usados por los pontífices de la Ley de Moisés.

4. Los rasgos fisonómicos que, al decir de Gomara, "cuando llegaron los conquistadores con Francisco Pizarro, hallaron indios que tenían los gestos ajudaizados".

5. La costumbre de alzar los brazos hacia el cielo como para dar más fe a una aseveración a la usanza de los profetas de Israel. El mensajero que habló con Huáscar, dicen que levantó los brazos para asegurarle la derrota de los suyos. Encuentra este rasgo parecido al de Abraham.

6. La costumbre de llamarse hermanos entre indios, como entre judíos, aun no siéndolo.

7. La unción de los sacerdotes indígenas con el Ulli, substituto del óleo.

8. La costumbre conexa de indios y judíos de trasladar a los difuntos a la tierra natal y la de enterrarlos en montículos.

FRAY FERNANDO,
lego del Convento de La Merced

ALMA HEBREA: No. 9 — Septiembre, 1935 12

CULTURALES

AL JOLSON EN LIMA

Al anunciarse en Lima la exhibición de la película "El loco cantor" con Al Jolson de protagonista, muchos de nuestros correligionarios habían confundido esta cinta con otra, que ya se exhibió hará unos años en varios países suramericanos, en la que aparecía Al Jolson cantando varios números de música judía.

Es así, que el día del estreno en el "Iris", vimos un gran número de judíos, quienes acudieron a oír la música judía de Jolson, pero se desengañaron luego, pues conocían, por referencias, el argumento de la otra cinta. En cambio, tuvimos oportunidad de admirar al gran Jolson, en esta obra de intensa dramaticidad.

AVISO

¡CORRELIGIONARIO! Dé su óbolo para nuestros hermanos radicados en Palestina. En Palestina está el hombre del mañana. Ahí, junto a la tierra, formando el más grandioso poema al surco, están los ideales del "hombre nuevo", el hombre que abandona comodidades, títulos y riquezas para labrar las tierras que la colectividad israelita reconquista para el pueblo.

LA REDACCIÓN

Crónicas: 1935

En el Teatro Bolognesi se efectúa el estreno de la obra "Der Dorf's Yung", de L. Kobrin. Se distinguen en el desempeño de sus papeles, los señores Alberto Saiman, Marcos Kuperman, Boris Rostein y Jacobo Fishman, y la señorita Victoria Weinstein, quien es bastante aplaudida.

Cuando Jacobo Lerner lee el artículo aparecido en la revista "Alma Hebrea", sobre las semejanzas entre las culturas india y judía, recuerda el día en que el rabino Schneider le comunicó el hallazgo que había realizado en uno de sus viajes a Iquitos. Le refirió que, en 1921, cuando todavía estaba radicado en Colombia, había emprendido un viaje a la selva para visitar a la comunidad judía de Iquitos y que, de no ser por la ayuda que le había brindado una tribu de indios sumamente civilizados, todavía andaría perdido en la jungla peruana.

El rabino había sido rescatado por dicha tribu, se había quedado a vivir con ellos por un tiempo y había podido entenderse en perfecto hebreo con sus miembros. Le dijo también que los indios le habían prodigado una acogida totalmente distinta a la que suelen recibir aquellos misioneros cristianos que osan internarse en la región. Mientras que, por lo común, éstos encuentran la muerte a mano de sus captores, el rabino Schneider había sido acogido ejemplarmente. Le explicó que eso tal vez se debía al hecho de que durante la Colonia algunos rabinos habían salido de Lima en misión por las montañas, donde así como predicaron sus doctrinas, se dedicaron a la enseñanza del hebreo. Sólo así podía explicarse —concluyó el rabino Schneider— que las ceremonias religiosas de la tribu se pareciesen tanto a las de los judíos y que estuvieran a cargo de un anciano, a quien denominaban el "rabá".

Al recordar las palabras del rabino Schneider, Jacobo Lerner se siente repentinamente acuciado por el deseo de volver a abandonar Lima y desaparecerse sin dejar rastro. Piensa que ni el amor que siente por su cuñada, ni las relaciones que mantiene con doña Juana, ni la holgada situación económica en que se halla, han bastado para otorgarle un sentido a su vida. "Fraguarse una vida como la mía, es cosa de hombres", le había dicho en una ocasión Moisés, recriminándole su soltería. Jacobo se dice que ha llegado la hora de buscarse en Palestina, incorporarse a un kibbutz y trabajar la tierra. Piensa también en la cita que ha hecho para el día siguiente con el doctor Rabinowitz.

Se estrena, por fin, la película de argumento judío titulada "El cantor de jazz", con Al Jolson de protagonista. La obra, que trata sobre el choque de dos culturas, ofrece momentos de intenso dramatismo y escenas de ambiente judío. Es interesante notar la simpática coincidencia del estreno de este film, cuya escena principal se desarrolla en Yom-Kipur, con la fiesta de Rosh-Hashana, pocos días antes de Yom-Kipur.

La noche del 11 de octubre el doctor Bernardo Rabinowitz se aparece en la casa de don Jacobo Lerner para comunicarle que va a morir. Le suelta la noticia a quemarropa, con urgencia, como quien busca deshacerse de un secreto. Jacobo Lerner recibe la nueva como si le estuviesen hablando de un personaje apenas reconocible. Piensa, con la actitud melancólica de siempre, que es una verdadera lástima que León Mitrani esté agonizando en tan penosas circunstancias, sin que él, su amigo de tantos años, pueda acudir a su lado para, en el instante final, cerrarle los párpados.

El día 10 de diciembre se lleva a cabo la velada literariomusical, en el salón de la Unión Israelita, con el siguiente programa:

Declamación de unos versos de A. Reysin, dedicados a don Moisés Lerner, por el señor Menahem Shapiro; "Las tres costureras", de I. L. Peretz, por la señora de Kristal y las señoritas Clara Abeler y Raquel Kogan; "Eli, Eli", cantado por el señor Isaac Rostein y acompañado al piano por la señora Ana Antonoff. En seguida, una aria de "Faust", cantada por el mismo, con el acompañamiento de la misma señora.

A continuación se improvisa un animado baile, que se prolonga hasta altas horas de la noche.

SUEÑO DE JACOBO LERNER
NOCHE DEL 11 DE OCTUBRE DE 1935

lenta procesión calle abajo   campanas doblando   espirales humo
hombres envueltos capas negras braceros rojo vivo   incienso
regando   monjes encapuchados   madera cruces espalda
cargando
hombre semidesnudo atravesado dardos   lecho rosas acostado
rabino
pidiendo agua indios   ventana abierta   mujer asomando cabeza
mujer pecho desnudo riéndose   vereda enfrente rogándole no se ría
cura diciéndome hay gente esperándote iglesia
torre iglesia
centinela ciego haciendo señal abran puerta   hombre filacterias
puestas hombros cubiertos manto blanquinegro
conduciéndome
oratorio   mesa redonda sobre mantel blanco comida   sentado
cabecera mesa Moisés   dándome gracias haberlo invitado   entierro
Sara deslizándose vaso en vaso garrafa mano agua sirviendo
Sara
¿por qué no sirves agua rabino?   Moisés contestándome
todos trenes parados mitad camino   vestido Sara lleno hilachas
diciéndome debes hacer algo ayudar tu hermano
junto rabino hombre
sangrando cabeza   pidiéndome pañuelo detener sangre   pensando
es tarde hombre está muerto
Moisés guardando revólver
bolsillo saco   rabino diciéndome acaba llegar selva agua buscando
Sara
¿por qué no das agua rabino?   voz pidiéndonos
salir oratorio   todos saliendo menos muerto dormido sobre mesa
sangre corriendo
mantel blanco   debes hacer algo ayudar Daniel Jacobo   Moisés
arrojando revólver ventana abierta   mujer asomando cabeza
llorando quiere ver su hijo
ventana cerrándose golpe

descendiendo oscuridad escalinata sogas tañidos fuertes campanas
caverna llegando   rabino diciendo
"seol es lugar subterráneo donde se baja después muerte"
puerta
falsa entrando monjes encapuchados cirios manos "lugar tinieblas
caos adonde van reunirse todos hombres pecadores y justos igual"
ataúd pequeño blanco hombros cargando ataúd colocando frente
cruz hierro rojo vivo   "lugar de donde nunca se vuelve"
formando círculo torno ataúd monjes cabeza bajando
manos
juntando sobre pecho "todos hombres reducidos misma impotencia
pecadores y justos igual"
rabino colocándose
junto ataúd hebreo rezando "reposo todos desgraciados" León
padre Chirinos arrodillados juntos rincón rezando "almas
descarnadas ya son sombras"   rabino pidiéndome
acercarme sintiendo escalofríos miedo
corriendo
escapándome   Moisés arrastrándome suelo
"no hay allí sino existencia pálida"
obligándome
abrir ataúd   "Dios puede allí extender mano hombres
pretenden escaparse"   tapa
ataúd abriéndose   viendo
dentro hijo muerto lecho rosas acostado
sobre polvo y ceniza
desplomándome

XIX

Samuel Edelman:
Chepén, Diciembre 19, 1935

Todo ya terminó . . cuando llegué a Chepén esta mañana parecía cosas empezaban de nuevo, pero ya todo terminó. . . Razón tenía la Felisa, ¿para qué vine este pueblo? ¿Acaso no sabía qué iba pasar? Hice viaje en vano, nada bueno podía esperarse este pueblo, pero al hombre parecen buenos todos los caminos . . . esperanza guardaba dentro corazón ser útil a Jacobo hora de su muerte, pensé tal vez sucedería milagro, pensé encontraría Efraín saludable para llevarlo vivir con su padre. . .

Mañana directamente a Lima sin pérdida tiempo, ir darle noticia Jacobo sobre su hijo, fuerzas me faltan ir ver otra vez hombre muriendo, muertes y más muertes todo tiempo, mejor si no tendría que ir Lima porque ¿qué voy decirle? ¿Encontré tu hijo como León ya no tiene remedio? Por eso sería mejor si Jacobo ya es muerto, un sufrimiento menos antes morirse, ¿para qué aumentar dolor?

Todo pasado quede enterrado este pueblo, el tiempo todo destruyó, todo vino abajo, nada se puede recobrar, ilusiones todas se perdieron hace muchos años ya, por eso mejor Jacobo no sepa nada sobre Efraín porque ¿para qué voy Lima de todos modos? ¿No sería mejor irme Chiclayo y olvidarme de Jacobo? Podría abrir negocio y quedarme vivir con la Felisa y mis hijos, cansado soy ya tanto viaje, viendo siempre caras extrañas todos sitios, tantas noches solo en fríos cuartos de hotel, hora es quedarme todo tiempo en Chiclayo, tampoco nada tengo hacer en Lima, todo ya terminó en este pueblo, pero cuando el hombre cree acabar entonces todo comienza, dice el Talmud. . .

Y si voy Lima no le diría Jacobo la verdad, simplemente diría no quisieron darme Efraín, diría muchacho es creciendo fuerte y sano como debe ser.

Pero de todo es el fin ahora, mejor olvidarme este pueblo para siempre, malos recuerdos todas partes, todo me hace pensar suerte de León, creo verlo todos sitios como sombra, aquí en cuarto del hotel en la oscuridad mirándome ojos fijos, sin decirme nada, ojos encendidos de llama extraña, y me hace recordar noche de su muerte, esa noche León llamando rabino a gritos, sabía iba morir seguro, me pedía trajese rabino, antes morir como serpiente en cama retorciendo, apretándose el estómago, luego calmado, con sonrisa en labios, acordando su pueblo, pensé había pasado peligro, pero después otra vez dando gritos, Jacobo llamando y luego silencio largo . . . la cara torcida, cuerpo doblado como feto; dormida era la ciega, así se despertó y no sé cómo ya sabía León era muerto, hasta cama vino y enderezó piernas y brazos de León y ya quedó derecho en cama, manos cruzadas sobre pecho, que sólo la cara tenía bien torcida y no atreví tocarlo.

No soltó la ciega una sola lágrima, deber cumplido volvió su cuarto, arrastrando pies se perdió en oscuridad y ya no la vi más que solamente regresé cuando sacaron cajón a la calle y a agencia llevamos y pusimos arriba de ómnibus sin saber iba perderse por camino.

Días pasé buscando cajón de pueblo en pueblo, días pasé buscando en vano, cajón no aparecía ninguno lado y quién sabe dónde es ahora. Jacobo dijo seguro pusieron cruz sobre su tumba cuando fui darle noticia y yo no podía dormir con ese pensamiento, muchas noches soñé con muerte de León una y una otra vez, pobre León moría diferentes maneras, ahogado en río o quemado en fuego y siempre había cruz en lugar de su muerte, flotando en río o consumiendo en llamas. . .

Qué extraño ver pueblo sin León caminando por calles o sentado tras mostrador, así pueblo como vacío, tienda León cerrada sin nadie haya negocio, miedo debe tener gente usar local, todos locos son.

Tal vez razón tenía la Felisa mataron León en este pueblo, por eso mejor mañana salir temprano del hotel, mejor no me vea nadie en calles, sólo esperar ahora salga el sol, ya debe ser tres de la mañana, tiempo parece inmóvil este pueblo, parece nada ha cambiado desde murió León, como si maldición habría caído sobre todos, padre Chirinos le echó toda culpa a León, dijo alcalde murió en cárcel de Trujillo, dijo Jacobo también trajo perdición familia de los Wilson, castigo de Dios fue. . .

Por eso miedo me da quedarme este pueblo, todas cosas de mal en peor, si sólo podría dormirme un rato . . . pero ¿cómo voy dormir en este pueblo? Son capaces venir meterse en cuarto y robarme todo que tengo . . . toda razón tenía la Felisa, así mejor le habría hecho caso, porque esta mañana cuando fui casa del viejo Wilson parecía la gente me iban caer encima.

Dios gracias mañana salgo Chepén y no tengo volver más, desde llegué todo como si fuese un sueño, reviviendo pasado otra vez, ¿qué necesidad hay acordarse cosas dan dolor en corazón?

Mismo miedo sentía cada vez venía ver León, pensaba me iban hacer pagar faltas de Jacobo pese culpa no era mía por todo que pasó. Todas gentes me siguieron por calles cuando fui casa del viejo Wilson esta mañana, me miraban pies a cabeza, gentes abrían ventanas para verme pasar, y cuando entré en casa de los Wilson creí estar en cementerio, todo oscuro como cueva debajo tierra, ganas tenía salirme enseguida sin ver niño, díjele al viejo Wilson había venido llevar Efraín donde su padre, entonces me hizo pasar otra habitación sin ningunos muebles y allí era Efraín en un rincón, cara la pared arrodillado y cuando se dio vuelta mirarme tenía sonrisa extraña en labios, era peor última vez lo vi, todas las ropas sucias, olor a muerto tenía encima.

Muchacho me hizo acordar León última vez lo vi antes morirse y entonces me di cuenta no podía llevarlo Lima, eso díjele al viejo Wilson y él lleno cólera maldiciendo suerte de Jacobo, que no quería muchacho en casa, mejor me lo lleve donde su padre y cuando le respondí Jacobo es muriendo, Wilson gritó entonces me lo lleve yo, pero yo no podía llevar Efraín así enfermo a vivir con la Felisa y mis hijos, pero madre de Efraín comenzó reírse carcajadas y después se sentó borde de la cama y se puso peinarse el pelo, una vieja parecía, cara llena arrugas, hablando sobre Jacobo cosas yo no comprendía y después yo me quedé mirando Efraín arrodillado en rincón, ojos perdidos en vacío, pensando qué voy decirle Jacobo. . .

Por eso mejor Jacobo ya se haya muerto para no tener darle noticia, después llegó el padre Chirinos, entró en habitación y no miró un segundo a Efraín y me dijo castigo de Dios es muerte de Jacobo, como la de León también, díjome, porque León había traído maldición a Chepén, todas cosas empezaron suceder desde llegó León, dijo, el terremoto habían tenido hace años en pueblo era culpa llegada de León, todo era culpa de León. . .

Malos tiempos son para judíos, muchas mentiras sobre nosotros no hacemos ningún daño a nadie, periódicos llenos calumnias todos los días. . .

¿Tal vez serán empezando cumplirse profecías de León. . .?

Al padre no dije nada, no iba pelearme con cura después todo que pasó, quemaron casa de León después la ciega murió, nada queda ya León en este pueblo, solamente recuerdos malos todos sitios, loco quedarse vivir en Chepén, razón tenía Jacobo irse vivir Lima, pero no sé si voy llegar a tiempo antes se muera. . .

¿Qué le voy decir sobre Efraín? No puedo decirle la verdad, sería matarlo del dolor, un padre no se le pueden decir esas cosas sobre hijo, muchacho no es bien, Jacobo; mejor se quede con su madre, Jacobo. . .

Razón tenía la Felisa, pérdida de tiempo fue venir Chepén, voy perder mi tiempo en Lima también si ya todo terminó, pero si no voy ¿quién va encargarse entierro de Jacobo?

Seguro Moisés nada va hacer por su hermano, van dejarlo en casa sin nadie se entere de su muerte, como judío es mi deber ir enterrarlo, después que pasó cuerpo de León no puedo dejar pase mismo cuerpo de Jacobo, voy ir darle entierro de judío como debe ser, voy decirle mejor olvidarse Efraín, Jacobo; mejor olvidarse este pueblo para siempre. . .

Manual del perfecto caballero judío

— No desdeñes las lecciones de Dios y no tengas aversión por sus castigos, porque Dios castiga a quien ama y aflige a aquel a quien prefiere.

— Sé ciudadano del mundo; sé hombre y judío, más judío con orgullo.

— No te goces de la ruina de tu enemigo; no se alegre tu corazón al verle sucumbir. No lo vea Dios y le desagrade y aparte de sobre él Su ira.

— Si tu enemigo tiene hambre, dale de comer; si tiene sed, dale de beber; pues así echas ascuas sobre su cabeza.

— Que tu casa esté ampliamente abierta y que los pobres sean considerados como miembros de tu familia.

— No vivas de tus sueños, pues los sueños no tienen la menor importancia.

— Vivir en el celibato es tan grave como cometer una muerte.

— Corrige a tu hijo y te dará contento y hará las delicias de tu alma.

— Aquel que no trata de instruirse no es digno de vivir.

— El sabio sigue una senda de vida que lleva hacia arriba para apartarse del "seol" que está abajo.

— Toma el ejemplo de Dios y sé modesto como El.

— No te jactes del día de mañana, pues no sabes lo que puede dar de sí. De Dios son los pasos del hombre. ¿Qué puede saber el hombre de sus propios destinos?

— Conoce lo pasado y lo venidero; interpreta los signos y los prodigios; la sucesión de las estaciones y los tiempos.

— Nunca digas: ¿Por qué es que los tiempos pasados fueron mejores? Porque nunca preguntarás esto sabiamente.

— Apártate de los malos por dos razones: para protegerte de ellos y para evitar la influencia de sus actos.

— Sé justo, pues la justicia guarda la vía del hombre íntegro y el camino de los malos conduce hacia la muerte.

— Guarda la Ley, pues en la hora de la muerte ningún hombre trata de engañar.

— Renueva en ti el milagro de un nuevo Cristo y arroja tu Cruz con dignidad.

EDITORIAL

Es doloroso, pero hay que decirlo bien claro: es nuestra desventajosa estructura económica la que ocasiona un ambiente de animadversión hacia nosotros, y la que da lugar a que ya se dejen oír en la prensa, con bastante frecuencia, voces en contra nuestra. Son los primeros síntomas de algo más serio que nos espera, si no sabemos prevenirnos a tiempo. . .

Dos con los factores que originan la animadversión hacia la Colectividad Israelita: el atraso industrial del país y el sentimiento de filantropía y protección mutua, desarrollado entre nosotros los judíos de una manera excesiva.

Es un hecho que los comerciantes israelitas, llevados por el afán desmedido de protegerse unos a otros, franquean la entrada a su profesión a todo correligionario ingresado al país. Es un hecho también, que los mayoristas proveedores, en su afán de lucro, hasta la fecha nada han hecho para impedir esta anomalía, y dar lugar a que todos estos elementos nuevos se dediquen aquí, en el Perú, a la profesión de su país de origen.

Si así fuera, hoy en día tendríamos un gran número de artesanos judíos, especializados en sus ramos, con todas las probabilidades de progresar y con una gran ventaja para la estructura económica de la Colectividad. Lo que debemos hacer es alentar al inmigrante a que se dedique a las labores físicas e impedir, por todos los medios posibles, el acceso del inmigrante a la profesión de vendedor ambulante.

Hay que despertar en los ambulantes israelitas ya establecidos, el recelo al nuevo competidor recién ingresado al país. Sólo así podremos demostrar con hechos, que el nombre "judío" no es sinónimo de mercader.

La Redacción

¡ATENCION!

INCURREN EN UN ERROR CRASO, TODOS AQUELLOS QUE VEN EN NOSOTROS LOS JUDIOS, SOLO A MIEMBROS DE UNA ENTIDAD RELIGIOSA. CONSTITUIMOS UNA NACIONALIDAD CON CASI TODOS SUS ATRIBUTOS. Y MUCHOS DE NOSOTROS SOMOS HASTA ENEMIGOS DE LA RELIGION Y DE FRAILERIAS.

ALMA HEBREA: No. 11 — Noviembre, 1935 8

EL CARNET AMARILLO

EL DRAMA MAS EMOCIONANTE
DEL AÑO

La historia de MARYA KALISH

Una joven judía, perseguida
por un sicario del Czar

NO DEJE USTED DE VER ESTA
GRAN OBRA

Jueves, 8 de Diciembre

TEATRO MUNICIPAL

¡NATURALICESE PERUANO!

ALMA HEBREA: No. 11 — Noviembre, 1935 9

¡ISRAELITAS: ALERTA!

Sabemos que hay correligionarios, en Lima y Balnearios, que efectúan sus compras en firmas comerciales e industriales, cuyos propietarios o altos funcionarios desarrollan, abiertamente, actividades nazistas y antisemitas, y quienes se atreven a declararlo públicamente.

CORRELIGIONARIO: Cometes una grave falta al proteger y contribuir con tus compras al enriquecimiento de esa gente, a quien —es tu deber— debes repudiar.

¡NI UN CENTAVO MAS A NUESTROS ENEMIGOS!

¡LA SANGRE DE TUS HERMANOS SACRIFICADOS LO RECLAMA ASI, ISRAELITA!

LA REDACCIÓN

XX

Se incorporó en la cama como si levantara un fardo, se restregó la comisura de los ojos y se miró en el espejo de la cómoda. Acababa de cumplir cuarenta y dos años de edad y sabía que iba a morir. Se lo había dicho hacía dos meses el doctor Rabinowitz. Al principio, Jacobo Lerner se resistió a aceptar la veracidad de las palabras del médico; sin embargo, después de recibir la noticia, se pasó una semana encerrado en su casa, rehusando abrirle la puerta a doña Juana Paredes, quien, ignorante de lo que pasaba había venido a verlo ya tres veces, siguiendo una costumbre que databa desde comienzos de 1930.

Cuando por fin se decidió a salir, Jacobo se dirigió a la oficina de correos, la cual quedaba a dos cuadras de su casa, para despacharle una carta a Samuel Edelman. Como desconocía el paradero de Samuel, le remitió la carta a la desaparecida tienda de León Mitrani, confiado en que algún vecino de Chepén se la entregaría a su paso por el pueblo.

Realizada esa diligencia, Jacobo Lerner regresó inmediatamente a su casa, donde a partir de ese momento, se dedicó a llevar una vida de perfecto anacoreta.

Con excepción de la sirvienta que le cuidaba la casa y del doctor Rabinowitz, que venía a verlo dos veces por semana, Jacobo resolvió mantenerse apartado de amigos y parientes, pues abrigaba la esperanza de que llevando una vida sedentaria recobraría muy pronto la salud.

Recién ahora, al cabo de dos meses, acurrucado como un feto entre las sábanas, frente al espejo, los ojos empequeñecidos por la falta de sueño, el rostro convertido en un pergamino amarillento y sucio, Jacobo empezaba a cobrar plena conciencia de su muerte.

Le costó un gran esfuerzo reconocer la imagen reflejada en la opaca superficie del espejo. Al principio, pensó que ese ser que estaba frente a él mirándolo burlonamente era su hermano Moisés, que había venido a llevarse el retrato de sus padres. Se imaginó después, que esa figura ojerosa y esquelética le pertenecía al viejo Wilson, quien al cabo de diez años, se había metido sigilosamente en su cuarto para pedirle cuentas. Luego, como si una mano invisible fuera superponiendo una serie de deslucidos grabados ante sus ojos, vio el rostro de su padre, el del rabino Finkelstein, el del cura de Chepén, el de Virginia y el de León Mitrani.

Jacobo permaneció unos instantes mirándose distraídamente en el espejo y, luego, esbozando una sonrisa forzada, se dejó caer sobre la almohada. A través de un velo vaporoso, divisó el cadáver insepulto de León Mitrani, el rostro ensangrentado de Daniel Abromowitz la noche que lo llevaron al hospital, el cadáver de Marcos Geller enterrado en el Cementerio del Angel y la imagen fragmentada de su hijo rezando de rodillas en la iglesia de Chepén.

Al dibujársele en su mente esta visión, Jacobo se

cubrió el rostro con las manos y, maquinalmente, recordó aquella ocasión en que Virginia se había aparecido por su casa, en 1932, para ofrecerle su hijo. Ese día, cuando arrojó a Virginia a la calle, después de insultarla despiadadamente y de decirle que ni siquiera podía estar seguro de que Efraín fuese su hijo, Jacobo pensó que había hecho bien en escabullirse a tiempo de Chepén. Conjeturó que de haberse quedado en ese pueblo, habría estado a esas horas sentado, como León Mitrani, detrás de un mostrador, acumulado el polvo en las cejas, la mirada perdida en el vacío como un animal viejo y derrengado.

Extenuado por toda esa maraña de recuerdos, Jacobo Lerner hundió la cabeza en la almohada y, de repente, como si estuviera reviviendo un sueño, se vio completamente curado, visitado y consolado por todos sus parientes y amigos. Se vio también colmado de riquezas materiales, de numerosos hijos y de larga vida, comparable a la de los patriarcas del Génesis.

Cuando abrió los ojos examinó, con asombro, la soledad de su cuarto. Después de un largo rato en que sus pensamientos intentaron vanamente recuperar algunas experiencias dichosas del pasado, Jacobo contuvo el aliento para intuir cómo sería estar muerto, pero sus ojos continuaban registrando lo que sucedía a su alrededor: el tenue vaivén de las cortinas, el polvo aprisionado en un rayo de sol, unas nubes teñidas de gris que huían del marco de la ventana. Vació los pulmones y volvió a tomar aire con los ojos cerrados. Sintió una especie de desmayo, creyó que lo bajaban lentamente a la fosa y que lo colocaban a la diestra de León Mitrani. Como proveniente de un lugar lejano, escuchó la voz del rabino Schneider pronunciando el último responso: “todos, buenos y malos, descienden finalmente al seol para llevar allí una existencia aletargada, vecina del sueño y la inconsciencia”. Luego vio que le echaban encima la primera pala de tierra, mientras el padre Chirinos, colocado de pie al borde de la fosa, le hacía la señal de la cruz.

Cuando abrió otra vez los ojos, le pareció que había oscurecido, pero aún era de día. Sintió un leve escalofrío en la espalda. Supo que llovería toda la noche y metió instintivamente los brazos debajo de la frazada.

LOS JUDIOS Y LA INQUISICION

(Especial para *Alma Hebrea)*

Entre las penas más terribles que ha conocido la humanidad, figuran las que aplicaba la Inquisición. Nada puede haber de oneroso en el mundo, si no se nos crispan los nervios ante la visión imaginaria de un cuerpo que se achicharra en vida con estertores de pánico, reforzados por la asfixia producida por los humos de una mala leña. A este suplicio fueron condenados no pocos judíos en nuestras piadosas y tranquilas plazas, frente a un crucifijo y en nombre de una civilización.

FRAY FERNANDO,
lego del Convento de La Merced

ALMA HEBREA: No. 12 — Diciembre, 1935 12

SALA BOLOGNESI

Miércoles, 4 de Enero de 1936

FUNCION DE NOCHE: 9.30

(Hora exacta)
Se pondrá en escena el gran melodrama en
4 actos de

JULIUS MAQUELSON

WI IZ MAIN HEIM

(¿DONDE ESTA MI HOGAR?)

ALMA HEBREA: No. 12 — Diciembre, 1935 13

DIRECCION GENERAL DE LA GUARDIA CIVIL Y POLICIA

SECCION DE EXTRANJERIA

Se pone en conocimiento de los extranjeros residentes en el departamento de Lima y de la Provincia Constitucional del Callao, que el día 30 del presente mes de diciembre, quedará definitivamente cerrada la reinscripción correspondiente al segundo semestre del año en curso.

Los omisos a este llamamiento,
serán penados conforme a la ley.

EL JEFE DE LA SECCIÓN

ALMA HEBREA: No. 12 — Diciembre, 1935 14

GRAN BAILE

Jueves 31 de Diciembre, con motivo de la fiesta de

AÑO NUEVO

GRANDES ATRACCIONES

EXCELENTE ORQUESTA

Bien surtido buffet, con un gran premio de valor otorgado a la señorita que reciba mayor número de cartas por Correo Aéreo.

Hora: 9 pm.

Queda invitada toda la Colonia de Lima y Balnearios

EL COMITÉ

XXI

Efraín: Chepén,
Diciembre 25, 1935

La araña subibaja, el cuerpo menudito, como una baba el hilo de la araña, la arañita ¿adónde vas? No te sales del rincón que no te dejo, porque si te metes en tu hueco entonces también me dejas solo, como los otros, y en la oscuridad te vas a tropezar porque no ves nada y cuando llegues al río por abajo te vas a ahogar de no saber nadar.

¿Dónde se han metido los demás? Siempre me dejan solo y solamente la tía Francisca viene a darme de comer y después me junta las manos sobre el pecho como si estuviera muerto y reza tres Padrenuestros, yo me la quedo mirando sin abrir la boca llena de comida y la tía Francisca me grita que no la mire como un bobo y me río por dentro de cómo se le pone la cara por la cólera que le da.

No te metas en tu hueco, arañita, que vamos a hacer aquí en el rincón una casa bien grande para nosotros dos nomás, con tus hilos, arañita, de todos nos vamos a esconder y nunca nos encuentran, porque si quiere meterse el Ricardo lo escupimos y se le pudre la cara como a un muerto, dos gusanos verdes le salen por los ojos y no puede llorar.

Dice la abuela que en este rincón las almas penan . . . ¿les tienes miedo a las almas, arañita? Yo no les tengo miedo nada, que si vienen abro la boca y me las como, porque ¿cómo será tener un alma dentro de uno? La abuela dijo que a la Chang se le metió en el cuerpo un alma en pena, en el pecho se le metió y que por eso se murió, porque entonces todo el pueblo se quemó y al padre Chirinos le cayó un rayo en la cabeza. Se quedó plantado como un árbol en medio de la calle, sin hojas era el árbol, blanco y seco como un hueso grande era, y después todos se fueron y me dejaron solo en el pueblo, que sólo vi al señor Mitrani sentado en su tienda que el fuego ni la tocó y su mujer sí se quemó en su casa porque dijo el abuelo que ella misma le había prendido un fósforo, y cuando todas las casas ya estaban quemadas, que las cenizas se mezclaron con la lluvia sucia que cayó, regresó el abuelo con toda la familia y me preguntaron que cómo no me había muerto. . .

¡Salte del hueco ahora mismo!, la casa ya está lista, ¿qué no ves?, a papá lo dejamos entrar porque papá no tiene casa, sólo su tienda, pero también se le quemó y no encontraron sus huesos que cuelgan del techo del doctor Meneses, porque los voy a bajar para enterrarlos que no quiero que se pierdan igual que se me perdió el escapulario que me dio la abuela y lo busqué por toda la casa y en el baúl del abuelo porque la tía Francisca me va a pegar.

Si quieres mejor nos vemos en la iglesia como la otra vez, pero esta vez sí te voy a hablar, que me dijo el padre Chirinos que no te diga nada para que pases por mi lado y no me reconozcas y te regreses otra vez a Lima solo sin el señor Mitrani que se quedó en su tienda, porque si viene un señor bien moreno vestido de gitano, arañita, le abres la puerta y lo dejas entrar, pero a nadie más, al abuelo no, que coge las tijeras y te corta las patitas y las pega con goma en una hoja del cuaderno para doña Angelita, una por una te las arranca, despacito que no vas a sentir nada para que no sufras y después no llores. . .

¿Has visto a mi padre, arañita?, dime cómo tiene los ojos, ¿los tiene del color del agua de la acequia que se ahogó el borracho? La tía Francisca no le recuerda los ojos, ¿dónde está la Virginia para que le vea los ojos? A papá se los va a ver y se va a morir del susto.

¿Cómo eres, papá? Porque si te pareces al señor Mitrani entonces tienes las pestañas onduladas y puedes volar, ¿verdad que puedes volar?, nos vamos por los aires y no volvemos más, porque triste se va a poner la Virginia cuando sepa que has estado aquí y ella en Pacasmayo con la Irma que no te pudo ver.

Pero en nuestra casa sobra sitio, porque si vienes te doy mi cuarto para ti solito con las muñecas que me dio la Tere porque se fue con unas monjas, dijo el abuelo que para un convento porque se va a casar con Jesucristo y el padre Chirinos les va a dar la bendición, que a mí ya no me la da porque me tiene miedo que no me lo voy a comer . . . les faltan los brazos a las muñequitas, papá, a ésta del vestido rojo se le desapareció la cabeza; estaba caminando por la casa de noche y se la comió el gato porque había un manchón de sangre en el piso y lo estaba lamiendo con la lengua pegajosa, se cortó las muñecas la Virginia a propósito, para verme llorar, y ahora ya se fue la Virginia.

¿Adónde se fue, arañita? Con el ingeniero que tiene la cicatriz morada se fue, con la camioneta por la carretera grande y se van a perder por el camino y no va a poder regresar para ver a mi padre, porque la Virginia ya no vuelve más, que dice la abuela que se murió la Irma y por eso se va a quedar en Pacasmayo para siempre a cuidarle las hijas, porque a mí sólo me cuida la tía Francisca y nunca me lleva a su casa, ni a la escuela, ni tampoco a la iglesia para ver a Jesucristo que es el esposo de la Tere con las piernas llenas de sangre, que va no viene a acariciarme la cabeza, pero doña Angelita me manda caramelos con el Ricardo que tampoco se me acerca porque le dijo la abuela que se iba a contagiar.

Nos vamos a dormir aquí en el rincón y por la noche no te me bajes a la boca que te como, que dice la tía Francisca que se me sigo tocando lo de abajo se me llena le boca de baba pegajosa tú te vas a bajar del techo suavecito y te me vas a cagar en la boquita, pero no te dejo.

¿Cómo es la boca de papá? Seguro la tiene pegajosa de todas las arañas que se come, ¿te gustan las arañas, papá? Porque si te gustan entonces te voy a llevar al corral por la noche y te voy a enseñar todas las arañas que tengo, que van a estar durmiendo y soñando con los angelitos y ni cuenta se van a dar que las estamos mirando, los ojos que los tienen grandes como bolitas de vidrio que brillan, la más grande es la abuela con su panzota que no puede andar y tiene la cabeza llena de piojos y se queda ahí sentada soñando y no les hace la comida a las arañitas más chiquitas. Este araño flaco es el abuelo que todo el día escarba para guardarse la plata en un hueco que nadie puede entrar porque es oscuro y muy hondo para caerse, que aquí está la Virginia con su colorete rojo para irse a Pacasmayo con el ingeniero, la Beatriz se quiere escapar pero ahora mismo la pongo en su sitio y no dejo tampoco que la Lucinda se salga porque se lo digo a la tía Francisca para que le dé un correazo en el culo, como los que me da el abuelo cuando me meto en su cuarto.

¿Cuál es la que más te gusta, papá? ¿Por qué no te gusta la Virginia? ¿La dejamos ir? No importa, de todos modos ya se fue y no vuelve, el César tampoco viene más por esta casa, que dice el abuelo que lo mataron los colombianos en la guerra y después se metieron en el pueblo a romper cabezas con las bayonetas llenas de sangre que tenían, pero después llegaron los peruanos y a la Beatriz se la llevó el capitán en un caballo blanco, porque tú, papá, vendrás en carro con tu bocina que vas a despertar a todo el pueblo.

En nuestra casa lo vamos a dejar entrar al señor Mitrani, papá, que va a volver del cielo, así como baja la arañita, por un hilo delgadito, ¿es de oro el hilo, papá?. Dice el abuelo que tu casa en Lima es de oro puro que brilla todo el tiempo y ni de noche es oscuro para que no tenga uno sueños malos y cuando vengas me vas a llevar con todas las arañas para que te las comas, pero a ti no arañita, que a nadie te voy a dar, porque si tú también te vas me quedo solo en el rincón y ya no salgo, porque en esta casa ya no vive nadie nada más nosotros, porque el tío Pedro se murió en el excusado, se tiró un pedo y se murió, se quedó sentado toda la tarde en el corral y el culo se le llenó de moscas coloradas y estaba como dormido, pero vino la tía Francisca a limpiárselo y por más que lloró no pudo despertarlo, porque seguro estaba soñando con una cosa linda, porque entonces tampoco me gusta despertarme para estar siempre con mi padre y nadie nos separe, que el abuelo vino y se puso al tío Pedro sobre el hombro y lo acostó en su cama que se le veía la pichula larga como una culebra negra, y la tía Francisca le enderezó el pescuezo y lo afeitó que parecía más joven y ya no como un muerto que tiene que estar sucio porque le crecen las uñas y se ponen amarillas de escarbar la tierra tanto, porque lo vistieron con un terno viejo del abuelo, con camisa blanca y corbata que le ahorcaba la garganta y no lo dejaba respirar toda la noche que lo velaron en la sala y por la mañana lo enterraron en el corral al lado de los chanchos, que ya se lo han comido, arañita, con zapatos y todo se lo han comido y no te me pegues a la boca que la abro y te como.

Papá ya no viene hoy porque se hizo tarde y cuando cierren la botica entonces va a venir la Lucinda y se van a acostar ahí en esa cama como si no me vieran que estamos aquí, arañita, y les podemos ver todas las porquerías que hacen, le pasa la mano por la espalda y la Lucinda se retuerce debajo de la sábana que uno de estos días se queda ahí muerta del dolor, que no les importa que yo los vea y me entren mareos en el cuerpo, porque la tía Francisca dice que debe ser algo religioso y que me llegan del cielo, pero el padre Chirinos que estoy loco. Al padre Chirinos no lo dejamos entrar, papá, ni aunque venga con toda la gente del pueblo a echarnos la puerta abajo.

Si me entra un alma en el cuerpo me ahogo de los mareos sin que nadie esté en la casa porque se han ido todos para que tú vengas . . . ¿te pareces mucho al señor Mitrani, papá? Cuando entres dejas tu bastón en esa silla, porque el señor Mitrani me quería mucho y siempre me llamaba hijo porque no sabía que yo soy hijo de la roca.

No te asustes, arañita, que no te voy a machucar para que te salga la sangre y llegue la Virginia que se quiso matar para que papá viniera a verme, pero no vino porque llegó otro hombre alto con una maleta, el cuero viejo, y dijo que me quería ver para darme un montón de plata y lo trajeron a nuestro rincón arañita, y el abuelo le dijo que estábamos jugando a las escondidas.

Yo no le vi la cara que la debe tener toda cochina de comer arañas. Porque después se fue con su maleta y el abuelo requintando que maldita su suerte, que qué se iba a hacer conmigo ahora que la Virginia ya no vive en esta casa y le cuesto un ojo de la cara, porque el abuelo dijo que te ibas a morir, papá, para que puedas venir a verme y juntos nos vamos para siempre a la casa del señor Mitrani, donde no nos agarre el padre Chirinos, que nos saca a la calle y de todos lados llueven piedras, que las arañas no se comen porque dice la tía Francisca que voy a cagar gusanos y nadie se los puede comer del asco que dan.

¿Por qué lo enterraron al tío Pedro en el corral? Del hueco no sale más donde lo pusieron, ni aunque escarbe por la noche con las uñas largas y no deja que nadie duerma.

Si tú te metes en tu hueco te voy a dar un caramelo de limón para que salgas rápido y nos arrastramos por el pueblo para que todos te vean y se mueran del susto, y en la tienda lo vamos a ver al señor Mitrani porque ya no le tenemos miedo, y le tiramos una piedra a la casa de los Miranda y les rompemos los vidrios para que estallen en pedacitos y se corten los brazos, y si vamos a la iglesia todos los santos le rompemos al padre Chirinos para que venga y los entierre junto al tío Pedro y papá se ponga contento cuando venga.

Vamos a tener un terremoto, que dijo el abuelo que eso fue lo que pasó cuando el señor Mitrani se vino a vivir en este pueblo, que las casas y los árboles volaron por los aires y se salieron los muertos del camposanto.

Después nos volvemos a la casa y nos dormimos bien abrazados los dos, así que te corto las patitas y te aprieto la cabeza con los dedos y te la arranco despacito y te apachurro el cuerpo para que no te duela nada y te mastico que no sientes. . .

INDICE

Este libro se terminó de imprimir en junio de mil novecientos ochenta en las talleres de FOX PUBLISHING CORPORATION, Bradford, Vermont, U.S.A.